奮起飛揚在人間

慧傳法師——著

下冊

目次

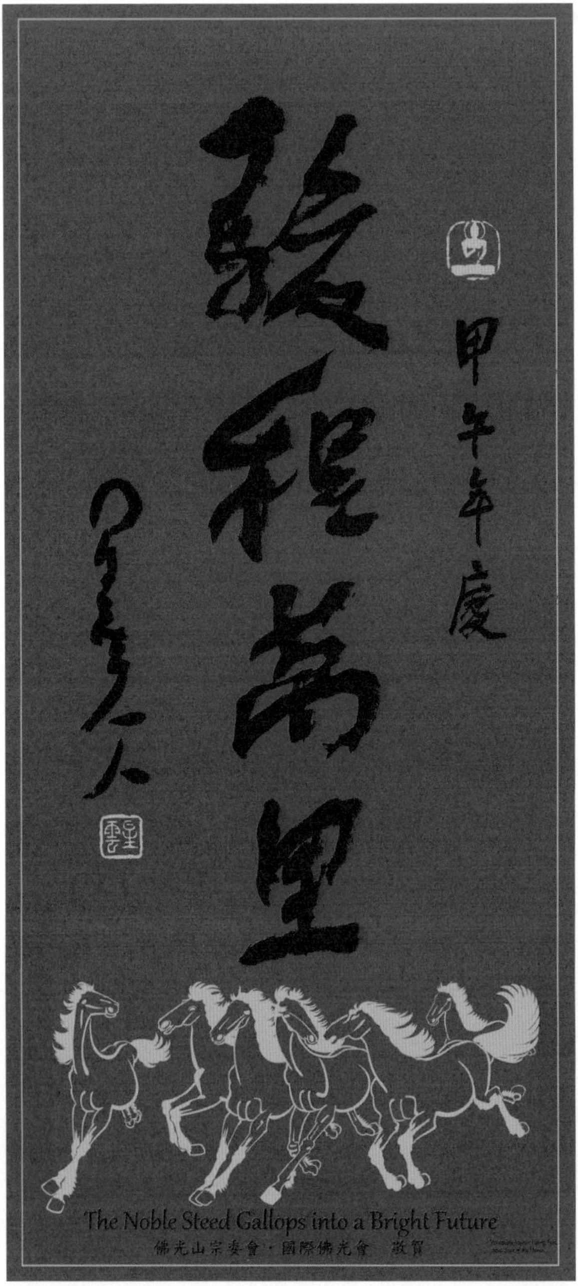
駿程萬里
甲午年慶
The Noble Steed Gallops into a Bright Future
佛光山宗委會・國際佛光會　敬賀

駿程萬里——

駿馬能萬里奔騰。努力邁進，平安順遂。

每個人心中都住了一匹駿馬，
當遇到了貴人，
潛能就可以被快速開發。
如同站在佛光山的肩膀上，
一個平凡無奇的人，
也能登高望遠，
跟隨著大師的腳步，展翅高飛。

駿程萬里，開發本具的潛能及佛性

二〇一四年星雲大師新春賀詞是「駿程萬里」，大師特別下了一個定義：「過去常說『鵬程萬里』，大鵬鳥展翅，一飛萬里。今年遇到馬年，好的駿馬能夠萬里奔騰，向前邁進；每一個人也都希望進步、希望向前，祝福大家在馬年的事業、生活發展順利，『駿程萬里』。」

這一段話，可以分成兩個重點來探討：

第一個含義，祝福大家在新的一年，事業、生活都能順利圓滿。

第二個含義，希望我們每一個人都是一匹駿馬，能夠奮起飛揚，奔騰萬里，向前邁進，飛揚十方。

那我們如何成為一匹駿馬呢？大師於二〇一四年除夕在《人間福報》發表了一篇文章〈馬年談馬〉，並告訴我們馬有四個特點：

「馬的速度飛快：現在的時代日新月異，像我這樣的人生，數十年的歲月，從農業社會，一下就轉到工業社會，又轉到重工業社會，甚至已經到了電子工業、雲端科技的社會了，其迅速之快，讓人眼花撩亂。其實，快，是很好的事情，我們做人要像馬一樣，快得有正道，快得有正路，不可以走上邪道，不要在半路跌倒。快得跌倒，得不償失。」

也就是說馬雖然奔騰的速度很快，但仍然要走正道，不可以偏離。我們看到今天的社會，許多人為了追求快速的成功、巨額的報酬，不走正途。例如，有些人為了在運動場上揚名，施打禁藥讓自己成績超越；有些商人為了多賺一些錢，從事黑心事業；有些工程人員為了賺取暴利，偷工減料；有些官員貪圖利益，收取贓款，種種為了獲取更高的名和利的不良行徑，最後都得不償失、身敗名裂、鋃鐺入獄。這都是不走正道，走上邪道導致的惡果。所以大師常鼓勵我們要「與時俱進」，但也告誡我們不要「貿然躁進」。

「馬的性格負重：馬不但快速、有力，而且可以負重，承擔責任。關山迢迢，數百斤的重物馱在馬背上，朝發夕至，在沒有飛機、汽車的年頭，馬可以說是人類負責交通、運輸最重要的朋友。所謂『驛站』，也都是靠馬來傳遞訊息，其功勞，不小於現在的電腦網路。」

東漢明帝夜夢金人，乃有天竺國迦葉摩騰及竺法蘭兩位佛教高僧應邀前來中國弘法，他們以白馬馱載佛像及佛經，不畏懼長途跋涉、路途艱辛，於永平十年（六十七年）來到洛陽。

翌年，東漢明帝下令於洛陽城西建造寺院，紀念白馬馱經之功，又因兩位高僧抵達洛陽時住在鴻臚寺（當時官署之名），遂取「寺」為名，稱「白馬寺」。後來「寺」字，也變成了中國寺院的一種統稱。兩位高僧之後在白馬寺譯出《四十二章經》，是中國第

◆ 洛陽白馬寺

一部漢譯佛教經典。今天我們得以披閱經書，要感謝白馬的忍辱負重啊！

「馬的個性溫馴：在許多的動物中，有的具有暴力傾向，也有的像人類的朋友牛馬豬羊具有溫馴的性格。尤其馬，力大、認主、高貴、專一，忠於主人，就是戰死沙場，牠也毫不逃避護主的責任，其忠誠可感。」

我們都知道，關雲長的坐騎是赤兔馬。此馬身體高大健壯，呈紅黑色，像老虎一樣威猛。據《三國演義》所述，此馬可以「日行千里，跋山涉水」，可說是三國的第一良馬。赤兔馬本來是董卓的，但是他為了收買呂布，將這匹馬送給呂布。之後，呂布兵敗被曹操斬殺，曹操就占為己用，後來為了籠絡關雲長，於是又把此馬贈送給他。所以，赤兔馬和青龍偃月刀就成為關雲長的形象代表。

但是，關雲長大意失荊州，敗走麥城，被孫權所殺。關雲長被殺以後，這一匹馬被吳國的軍隊獲得，將之豢養起來。但是，關雲長的忠義節氣也感染了赤兔馬，雖受到良好的照顧，卻不吃不喝，最後絕食而亡。因此，我們從這裡可以知道，赤兔馬是一匹氣節之馬，跟關雲長的忠義精神相呼應。

「馬的耐力堅強：馬，給人利用，拉車、拉磨、乘騎、載物，每日很少休息，其耐力之強，人類難比。尤以今日的年輕人更要以馬自我期勉，過去以『人不如狗』來形容人沒有忠義，今天講到耐力、勤勞的特性，人何能不如牛馬呢？」

中國四大名著之一的《西遊記》，記載了白龍馬原是西海龍王敖閏的三太子，因為血氣方剛，縱火燒了龍王殿上玉帝所賜的明珠，觸犯天條、犯下死罪。幸賴觀音菩薩說情，要白龍馬將功折罪，成為唐三藏西行取經的坐騎。

◆《西遊記》裡面的白龍馬，協助唐三藏取經。

期間歷經多少的艱辛、多少的魔難，牠都任勞任怨、無怨無悔地伴隨著唐三藏，成為取經五位成員中最忠實、最默默無聞的行動者和見證者。而孫悟空不在的期間，碰到黃袍怪危害唐三藏，牠也挺身而出救助師父脫離險難，盡顯英雄本色。所以完成取經任務後，白龍馬被封為「八部天龍廣力菩薩」。想想看這是要多大的精神毅力、多大的堅忍耐力，及忠貞不拔的心方能做到。

可知要成為一匹「駿馬」，大師已明確地告訴我們要具備「速度飛快、性格負重、個性溫馴、耐力堅強」這四個特點，如此方能萬里奔騰，向前邁進。馬的性格如此，我們人要擁有哪些性格，人生路上才可以成功發達呢？

以下提出一些淺見供大家參考：

一、去惡向善

（一）有趣的中文造字

我們要成為一匹駿馬，第一個要做的就是「去惡向善」。我們來看看一些和「馬」有關的中文造字，從中認識「去惡向善」的重要性。

罵：此字上面有兩個口，下面一隻馬。一個人只有一張口，但是當一個人有兩張口，又加上有一匹馬，表示此人講話太直、太快、太衝，沒有轉圜餘地，最後駟馬難追，到處得罪人。

騙：「馬」的旁邊加個「扁」，叫做「騙」。「扁」的含義是平庸。明明這是一隻平庸的馬，但是你賣給人的時候卻說這一匹馬很棒，等到對方牽回家後，才發現牠一文不值。啊！我上當了，我被騙了！

驢：「馬」字加上「盧」等於「驢」。「盧」字同「廬」，表簡陋的房屋。當初造字的本義，表示在農家、磨坊中服役的像馬的牲畜。所以，西漢司馬遷《史記．日者列傳》有這麼一句話「騏驥不能與罷驢為駟，而鳳凰不與燕雀為群，而賢者亦不與不肖者同列」。駿馬不能與劣驢同駕一輛車，鳳凰不能和燕雀同群，而志行高潔的聖賢之人，也不能和品行不良的不肖者為伍。

媽：「女」字加「馬」，變成「媽」。據《說文解字》的解釋，「媽」字是典型的左形右聲，「女」字是形，代表媽媽是女人，這個好理解；「馬」字是聲，我們聽小朋友叫「媽媽」的聲音是「ㄇㄚˇㄇㄚˇ（mǎ mǎ）」。另有一說，馬的命運多勞苦，還必須站著睡覺，隱喻為女子當了媽，為了養兒育女，辛苦異常。

駿：「馬」字加「夋」，等於「駿」。「夋」是「俊」的省略字，表示外表清純可愛。甲骨文造「駿」的本義，馬匹年輕，形體漂亮，所以《說文解字》：「駿，馬之良材者。」從人的角度來說，表示才能出眾的人。

驥：「馬」字加上「冀」是「驥」。「冀」是「翼」的誤寫，「翼」表翅膀，人類自古渴望飛行，插上翅膀就可以飛翔。甲骨文造「驥」的本義，馬疾馳如飛，所以《說文解字》：「驥，千里馬也。」從人的角度來說，表示傑出的人才。

以上這六個和馬有關的字，加上不同的旁字，就產生不同的含義。前面三個字「罵、騙、驢」，傾向不好的一面，代表我們要去除心中之惡；後面三個字「嫣、駿、驥」，都是好的一面，代表我們要開發心中之善。

介紹了這許多和「馬」字有關的文字，和我們人生有什麼關係呢？其實我們每個人的心中都住了一匹駿馬，但是這一匹駿馬，若沒有受到伯樂的賞識，只是把牠放在磨坊中，那牠永遠在那邊轉圈圈，這樣的駿馬，到老了以後也沒有用。但是，當駿馬遇到了貴人，牠的潛能就可以快速被開發。

同樣的，我們所有的佛光人，站在佛光山的肩膀上、站在星雲大師的肩膀上，本來是一個平庸無奇的人，此時也能登高望遠，跟隨著大師、佛光山的腳步一起展翅高飛。

（二）近朱者赤，近墨者黑

如何去惡向善，除了能夠遇到善知識外，環境的因素也很重要。《三字經》有這麼一句話「養不教，父之過；教不嚴，師之惰」，就是說教養孩子的責任重大，身為父母、師長的，更是要好好正確教育、引導小孩。

孟子小時候，住家靠近墓地，所以常和其他小朋友模仿送葬隊伍的哭啼模樣，孟子的母親看了非常擔心，就搬遷到市集左近。但問題來了，孟子和小朋友扮演起做買賣的遊戲，孟母知道孟子是一位容易受環境影響的小孩，也就是「近朱者赤，近墨者黑」的人，於是將住家搬到學堂的附近。在這裡，孟子的心才慢慢地安定下來讀書求學。

但小孩頑皮好玩的心態很難一時改變，有天逃學回家，母親很生氣地將織布機上的布割斷，嚴正地告誡孟子，不肯好好地用功讀書，半途而廢，將來是個沒有用的人。經過這樣刻骨銘心的教訓，從此以後，他努力向上，專心求學，最後成為名留青史的偉人。所以《三字經》才會說「昔孟母，擇鄰處；子不學，斷機杼」。

另外，在古印度，是用大象來執行死刑。有一次象舍維修，官府暫時將大象寄放到一間寺院。大象每天跟出家人生活在一起，日日聆聽誦經聲，牠們的心也變得平和、安詳。後來象舍維修好了，牠們被遷移回新房舍。結果，當大象被帶到執行死刑的現場，不可思議的事情發生了，大象竟然站在那邊不動，任差役如何鞭打喝斥，牠都不願意以腳踏殺死囚。

國王得知後，遂命令將大象移到屠宰場附近居住，大象每天聽聞哀嚎的聲音，看到宰殺的殘忍情形，久而久之心性被汙染了。隔了一段日子，國王又命令將大象運回象舍，這時候，役使之人叫牠踩踏死囚，牠也毫無顧忌地照做了。

從「孟母三遷」以及大象受環境的影響改變性情，讓我們更了解到，要成為一匹駿馬，除了善知識的引導外，環境的因素也是很重要，如此方能將內心善良的種子、無限的潛能激發出來，成為一匹駿馬、千里馬。

《佛光菜根譚》說：「心善，則觸目所及皆真善美；心惡，則言行舉止皆貪瞋痴。」又說：「寧可做個無名的善人，不可成為風光的惡人。」所以，我們應安住身心、去惡向善，用功行道才是最妙法門。

◆ 激發無限潛能，成為一匹駿馬。

二、學習調整

接下來我們要談的第二個重點：要成為一匹駿馬，還要學習調整。

（一）四馬警喻

大家有聽過「四馬警喻」嗎？佛陀認為一匹馬的良窳好壞，可以從牠對鞭子的警覺度看出牠的根器利鈍，其實就是在警惕眾生，不要等無常臨身，才後悔沒有好好用功修持。《雜阿含經》卷三十三提到——

世有四種良馬：
第一良馬，顧其鞭影馳驅，遲速左右隨御者意。
第二良馬，以鞭杖觸其毛尾，察御者意而隨其意。
第三良馬，鞭杖小侵，隨御者意。
第四良馬，鐵錐刺身傷骨然後著路，隨御者之叱。
比丘有如是四種。

第一種馬是良馬（駿馬、千里馬），只要馬主人揚起鞭子，輕輕往前方一抽，鞭子根本不用打到身上，牠看到這個影子，便知道主人的心意，是快是慢、是左是右，完全配合主人心意，而且可以日行千里，快如流星一般。這種馬真是太棒了，從人的角度來說，有些修道者只要看到飛花落葉、聽聞世間無常變異，便能體悟十二因緣法則，證得獨覺果位，大迦葉尊者就具有此種根基。不必等到死亡的鞭子抽打在身上，才悚然警惕、精進用功。

第二種馬是好馬（上等馬），當牠看到了鞭子的影子，雖然不能馬上警覺，但是等鞭子掃到馬尾毛端時，他已經感受主人心意了，此種馬可以日行八百里。佛弟子中，許多人無法從世間無常變化馬上有所警覺體悟，但當佛陀宣說四聖諦，就能了知生死無常迅速，立刻鞭策自己，用功修持。佛陀弟子許多人都是這種根基，如舍利弗、目犍連等。

第三種馬是庸馬（中等馬），此種馬無論主人揚起多少次的鞭子，牠雖然看到鞭子了，甚至已經被打在身上了，仍無法意會主人的需要，直到痛徹心扉，方知向前奔馳，此馬只能日行五百里。也許羅睺羅尊者是屬於這種根基。他因童稚愛玩，且喜歡說謊作弄別人，加上身分特殊，僧團中也無人敢糾正，因此日子久了，養成了輕心慢意的不良習氣。羅睺羅被佛陀嚴厲教訓後，感到非常羞愧，馬上懺悔，痛改前非，用功辦道。

第四種是駑馬（下等馬），此種馬是鞭子已經打到身體了，甚至主人已經生氣到用馬靴上的馬刺猛烈側踢，讓牠痛徹骨髓、皮肉潰爛，牠才如夢初醒，勇往直前，但只能日行三百里，就疲乏了。這種下等馬的人，是愚劣無知，冥頑不化，要受到了徹骨徹髓的痛苦，才知道要往前奔跑。也許佛陀弟子中的鴦掘摩羅、六群比丘是這種類型。

從千里馬到下等馬的解釋，我們可以看出一個人的根器良窳，和他在接受教導的時候，其回應的快慢是有關。覺悟快的、改正快的可以說是良馬，若調整得慢，或是根本不願意改變的，他就會變成下等馬。關於此點，我在佛光山普門中學服務期間，看到學生受教的情況，真的和「四馬譬喻」所說是差不多的。

（二）五種學生類型

我將學生的根器分成五個類別——

第一類叫「見賢思齊型」，這一類型的學生真好，老師教導起來不費力，自動自發、潔身自愛、用功讀書，還會協助老師、幫助同學，老師會有得天下英才而教之的喜悅啊，這不就是千里馬嗎？

如同玄奘大師八歲時，他的父親在跟他闡述《孝經》的內容，講解到「曾子避席」這一段時，他馬上起立，整理好衣服，恭恭敬敬聆聽。父親問他為何突然起身？他回答道：「曾子在聽老師教誨時起身聆聽，我要奉行慈父的家訓，怎麼還能坐著呢！」相信此種學生屬於第一種的良馬，此類學生幾乎看不到。

第二類叫「孺子可教型」，這一類型的學生偶爾會犯點小錯，只要師長輕輕提醒，不必動怒，他會立即改正，教導起來也不費力氣。如果，你教到這種學生也算三生有幸，上輩子修來的福氣。此種學生可以歸類為第二類的上等馬，此種學生已經是鳳毛麟角了。

第三類叫「不打不成器型」，這一類型的學生，大錯不犯，小錯不斷，今天教訓過了，可能明天又忘記了，但偶爾也會表現出很乖巧貼心，讓師長感到相當的溫馨。此類型的學生，無法完全用愛的教育去調教，有時也必須用鐵的紀律去規範他，在寬嚴、軟硬兼施的情況，這個學生會慢慢地成長。雖然你要用更多的心思、更多的時間去教育這個學生，但最後看他能夠規範自己、能夠鞭策自己，找到人生的方向，相信你所有的付出，都是值得的！此種學生可以歸類為第三類的中等馬。我所看到的學生大部分屬於這種類型。

第四種叫「頑石點頭型」，碰到這種學生算你上輩子欠他的。他表現出一付桀驁不馴、不服管教的態度，你要他往東他偏要往西，受到嚴厲處罰，他也無動於衷，你絞盡腦汁、用盡方法，他一樣不甩你。相信這種學生是每位老師的噩夢，但他們真的天生就是如此嗎？其實這一類型的學生往往家庭背景複雜，人生沒有目標，學習意願低落，但只要找到他心中的癥結，以耐心愛心開導，終有一天也會露出曙光，此種學生我將他歸類成第四種的駑馬了。歷史上有名的周處除三害不就是如此嗎？

第五種叫「死不悔改型」，這一類型的學生，他的態度和「頑石點頭型」的學生差不多，在學期間，不可能改變惡劣態度，除非他碰到嚴重的打擊，或是自己、或是最親近的人發生了悲慘的無常事件，他才會幡然醒悟，痛改前非。此種學生不但屬於第四類的馬，而且是見了棺材也不見得流淚型的孩子啊！老是和佛陀作對的提婆達多應該屬於這種類型吧。

（三）如何面對冥頑學生

前三種類型的孩子，相信一般的家長、老師都有辦法自己處理，若你碰到「頑石點頭型」跟「死不悔改型」的孩子該怎麼辦？是放棄教育、視而不見？還是繼續引導他們呢？相信一般的人會選擇後者，但如何處理呢？以下提出個人一點淺見。

第一種方法是「只問耕耘，不問收穫」。

我以前在普中當訓導主任的時候，有一天，一位住宿區的生活老師，氣呼呼地來找我，說她要辭職了。為什麼呢？因為有一位高二女同學，違反宿舍規定，被她口頭警告，女同學不但不認錯，還無禮的頂撞，從此以後，這位女同學碰到她調頭就走。她也不以為意，仍跟這位女同學打招呼，但久而久之自己的耐性也被磨光了，不禁懷疑自己的做法是否正確？

當時我跟這位老師說，妳是老師，她是學生，不必和她一般計較。妳的職責在教育學生，相信妳繼續和她打招呼，終有一天會有不可思議的效果出現。生活老師半信半疑地說真的嗎？我勸她試看看再說吧。

就這樣一年多過去了，畢業典禮結束後，這位生活老師來找我，且向我道謝，並說「只問耕耘，不問收穫」成果真的出現了。因為畢業前夕，女同學來向老師道歉，說自己這一年多來對老師很沒有禮貌，尤其每一次看到老師仍跟她打招呼，她都相應不理，

◆ 慈悲教育法，以關懷代替處罰。

其實內心很痛苦，也很想跟老師打招呼，但怕面子掛不住，也怕被同學取笑，怎麼可以向老師低頭呢？如今要離開學校，如果再不跟老師道歉，她會終身遺憾。

各位，這就是「頑石點頭型」學生的成功案例，只要我們有慈悲心、有智慧、有耐心，相信有一天曙光也會出現。

第二種方法是「另覓因緣，教育子弟」，也就是我們常說的易子而教。我們普門中學有一位學生，國中基測PR值七十，但參加繁星計畫甄選，卻錄取國立中央大學通訊工程系，真是不簡單，到底他是如何做到呢？

這位學生家住基隆，因父母忙於工作，小學畢業的時候，在阿嬤堅持下，千里迢迢來到高雄讀書。因為本身不想離開基隆，而且想家，就故意搗蛋，不願意讀書，甚至留起長頭髮，惹得老師生氣、學校頭痛。雖然難以教化、行為乖張，但師長對他仍是不放棄，住在高雄的阿姨，無怨無悔地陪伴，漸漸地他的長頭髮變短了。

到了國二，家人看他頭髮剪短了，個性上亦有所改變，於是把他的弟弟也送到普中就讀。結果這個弟弟表現傑出，考試幾乎都是第一名。就這樣，他被刺激到了，覺得自己身為家族的長孫，不但沒有爭光爭采，反而給家族蒙羞，於是開始認真讀書。

由於功課落後太多，國三的成績並不是很理想。原本想回北部就讀，因為基測成績不理想，而且已熟悉普中的環境，老師們也對他很好，便直升高中部，以考上國立大學為目標。皇天不負苦心人，他的努力終於得到回報，高三上學期拿到全班第一名；在繁星計畫推甄的時候，竟然上了國立中央大學，這代表他在學校的成績是真材實料的。

要從一個桀驁不馴的叛逆小子，變成積極奮發的陽光男孩，這個過程多麼不容易啊！雖然老師、家人關心照顧不變，但孩子可能無法體會，且認為你們本來就應該對我如此。想不到弟弟優秀成績的刺激，加上自己的榮譽感、羞愧感，竟一反前態的改變了。這不就是「另覓因緣，教育子弟」成功的案例嗎？

所以大師說：「教育有家庭教育、學校教育、社會教育、團體教育，但真正的教育在於自己，自己無心於教，所謂『言者諄諄，聽者藐藐』，也無濟於事。佛教的教育，就是『覺』的教育，但是先要『自覺』，而後『覺他』，進而才能『覺滿』。」從這裡可以了解到「自覺」的重要性。

第三種方法是「因緣成熟，自然會改」，也就是說，前兩個方法都用了，結果都沒有效，請不要灰心，因為終有一天，他會遇到另外一個因緣來改變他的。有關這個部分，我也有一個真實的故事跟大家分享。

有一個孩子，在國中三年期間換了六所學校，代表這個孩子到哪一所學校都是頭痛人物，且每到學期末，校方就請他走路！這一件事情讓他的父親苦惱不已，有時甚至絕望的說：「如果第二天早上眼睛不要張開，永遠睡著了有多好！」這是多麼悲哀、無奈，可見這個孩子惡劣難教化。

就在高一上學期的時候，他的態度突然有了一百八十度的大轉變！開始認真讀書，不再叛逆，跟父母的關係也變好了。他的爸爸不敢相信自己的眼睛，這個壞得要命的孩子，竟然改變了？就問他到底發生了什麼事？他說，有一天他和最要好的朋友騎摩托車外出，遇到了車禍，他僥倖存活下來，但朋友卻當場死亡，這個悲劇，讓他警悟到人生無常，不可以繼續頹廢下去，下次死的人可能就是他。

這就是因緣成熟，自然會改的道理。所以，我常常跟老師、家長們說，有時候遇到了頑劣不堪、死不悔改的孩子，也不要放棄他，因為只要我們愛心、耐心不變，等待的過程雖然辛苦，但有一天不知道什麼好因好緣，他心中的那一匹駿馬會被激活起來，他也會奮起飛揚，奔向成功的大道！

（四）自我調整

從以上的敘述，我們也可以看到，快速調整自己是多麼重要啊。

普門中學在二〇一三年七月一日成立了高中棒球隊，成軍才五個月，年底就去參加由教育部體育署指導舉辦的「第一屆黑豹旗全國高中棒球大賽」，對上了百年傳統棒球強校台中高農，一路糾纏到第九局才以一分小輸，令各界刮目相看。

這個消息讓佛光山的工程顧問公司知道了，於是提出要和我們的球隊打一場慢速壘球友誼賽，並敲定在大樹舊鐵橋的棒球場打球。

當天，我到現場給同學們鼓勵，比賽前對同學說：「你們在一個月前差一點把台中高農打敗，實力是很堅強的，今天和長輩們是『友誼賽』，記得要手下留情！」

比賽開始，對方先攻，我們防守，我氣定神閒在旁觀賽。因為不在意輸贏問題，本以為可以輕鬆打球，但局勢好像有點狀況，因為我們竟然被對方打到爆，一下子被攻下四分，嚇得我們目瞪口呆。

我對著教練說，這是怎麼一回事？為何輸的這麼慘？教練說，因為慢速壘球的打法和硬式棒球是不一樣的，除了球的大小有差別以外，投球的姿勢、好壞球的判斷也是不一樣。棒球投球是採甩臂式的投球，而慢速壘球是拋物線的投球。棒球的好球帶位於腰

◆ 普中棒球隊與佳倫工程行進行友誼賽

部與膝蓋間，而慢速壘球的好球帶則是球掉在本壘板就是好球。而我們球員平常都打快速度的棒球，對慢速壘球的大小、球速、投球及接球方式都不習慣，因此打起來非常礙手礙腳。

由於本山還有事情，我要先離開，臨走前跟準備上場打擊的同學說明兩者的不同，且囑咐他們要趕快調整自己平時打球的習慣，否則會被打爆了。結果第一場，我們二比七輸了五分！但是，第二場比賽，我們的球員無論投球、接球、打擊都慢慢抓到了節奏，最後才以四比三，小贏一分。

從這兩場比賽，給我一個重要啟示，

人生的路上要學習調整，調整得快，你會是人生的贏家；調整得慢，你是人生的輸家，如果你都不願意調整改變，你會一路輸到掛。就像「頑石點頭型」跟「死不悔改型」的孩子，一定要等到徹底受到嚴重的打擊，方才大夢初醒，追悔不已。

《佛光菜根譚》有這麼一段話：「永遠固守自己的思想，易被淘汰；隨時調整自己的觀念，才會進步。」所以，人生的過程中，我們若沒有調整自己，就永遠沒有辦法變成一匹千里駿馬，終有一天在時代的洪流中被淘汰。因此，我們要不斷地學習調整，把我們的心性調整得更柔軟一點，不要那麼的強悍、堅硬，要不斷地調整自己，要與人為善、要待人好，隨時隨地要做好事、說好話、存好心，相信你會成為人生的贏家。

三、發掘潛能

接下來要談的第三個重點是「發掘潛能」。每個人其實都有潛能，有些人的潛能開發的早，有些開發的慢，一般人認為開發的早，容易成功，開發的晚可能就慢一點成就。因而現在外面有許多潛能開發課程，甚至從小就開始培養，希望贏在起跑點上。如何開發潛能，讓心中的那一匹駿馬被激活起來，成為人生的贏家，這是我們接下來要研究的課題。

（一）從最後一名到世界冠軍

吳寶春先生相信大家對他應該不陌生，他獲得二〇一〇年在法國舉辦的首屆世界盃麵包大師賽世界冠軍。

他出生在屏東鄉下，是家中八個小孩中的老么。他的父親在他十二歲的時候就往生了，母親一個人撐起家中的生計。國中以前，他不喜歡讀書，而且討厭上學，所以成績是放牛班的最後一名，大家可以想像他的程度有多麼差，甚至國中畢業時，他認識不到五百個國字。

但又是什麼因緣，讓他在二〇一六年，榮獲新加坡國立大學商學院亞太 EMBA 學

◆ 吳寶春應邀至佛光山惠中寺講座，分享生命體驗。

程的工商管理碩士學位呢？因為他發現創業除了要勤勞努力外，還要有學理做基礎，例如做麵包必須要會數學、要看懂日文烘焙書才能更加進步。

他說自己在台北當小學徒的時候，他的師傅要他秤一百兩的糖，結果他拿著吊秤，專心看著細細的格子，一格一格地從一慢慢數起。他的師父看到此景就破口大罵：「你不知道一百兩是六斤四兩嗎！」的確，吳寶春真的不知道一斤等於十六兩，因為沒有讀書的關係。最後他把自己歸零，努力學習跟練習，把失敗當作智慧的累積和考驗，最後終於把師傅的技術徹底學起來，烙印在自己的腦海裡，變成自己的東西，然後再去突破。

經過市場上的歷練，他看到很多麵包師傅過了四十歲就容易失業，因為缺乏知識，所以容易被市場淘汰。因此，他認為冠軍只是當下，一個人不被職場淘汰且能立足下來，只有透過不斷地學習、不斷地成長才能達到。

由於他很希望有朝一日成為企業家，因而決定在二〇一三年報名就讀大學的 EMBA 課程。但因只有國中學歷而被大學拒絕了，因為在台灣報名就讀 EMBA，最低學歷必須是大學畢業。後來，新加坡國立大學的 EMBA 破例彈性處理，前提是必須通過嚴格的資料審查與面試，最後吳寶春通過錄取，並且在二〇一六年獲得碩士學位。

人人心中都住著一匹駿馬，一旦被激活起來，散發出來的力量真的不可思議。

（二）從搗蛋鬼變管理學博士

從吳寶春的故事，讓我想到普門中學有一位黃姓校友，在國中的時候不愛讀書，功課不佳，上課還會搗蛋、干擾教學，但最後他竟然獲得菲律賓德拉薩大學（De La

Salle University）管理學博士。以他的資質及在普中的表現是很難想像的，為何他會有一百八十度的轉變呢？

黃同學觀光科畢業以後就進入旅行社工作，工作認真負責，但卻沒有升遷機會，他百思不得其解，「為何其他同事會被提拔，我認真工作卻沒有機會？」從默默觀察中，他發現一個道理，會被升遷的同事有一個特點，他們是大學畢業，具備良好外語能力，帶團或與外國客戶接洽時，能夠以流利的英文溝通交談。因此下定決心，服完兵役就出國留學，就這樣一步一步地努力取得大學學士、教育碩士及管理學博士學位。

後來受邀回到普中演講時，他勉勵學弟妹要訂下目標，尤其要在觀光領域中發展，一定要具備良好外語能力，才能為升學、就業加分。

《禮記．學記》有云：「學然後知不足，教然後知困。知不足，然後能自反也；知困，然後能自強也。」意思是說，通過學習，才知道自己不足之處；通過教導別人，才能知道自己不理解的地方。知道自己的不足，才會自我反省；感到困惑，才會自我勉勵。吳寶春、黃同學不就是「學然後知不足」的成功個案嗎？

從以上兩個案例，可以知道當你有迫切的需要、有了方向和目標，你會不顧一切的勇往向前，接受任何考驗；也會心甘情願的學習，不論多大的艱難困苦，這時候你的潛能就會被激發出來。還有，當你對某件事情產生興趣的時候，潛能也會被激發出來。

（三）過動兒締造「飛魚」傳奇

另一個例子是「飛魚」麥可．菲爾普斯。他從二〇〇四年奧運到二〇一六年奧運，四屆夏季奧林匹克運動會中獲得二十三面和游泳有關的金牌，他是奧運史上獲得最多獎牌、最多金牌的人，同時也是多項奧運及世界紀錄保持人。有些國家要獲得一面奧運金牌，都無法獲得，他竟然可以一個人榮獲這麼多輝煌的紀錄，真的太不可思議了！

其實他的身體構造特殊，手長腿短、腳掌寬大，就像一對蹼，能快速打水，整體來說像一隻細長的魚，但真正的原因是他對游泳有極大的興趣。菲爾普斯是個過動兒，從幼稚園開始就無法靜下心來上課，老師對他下了一個評語：「菲爾普斯這輩子都不會專注在任何一件事上。」在這種情況下，母親黛博拉仍然沒有放棄他，陪伴他嘗試各種學習，就在他九歲的時候，黛博拉發現他雖然在教室坐不住，但是卻能坐在游泳池旁邊等上四個小時，僅僅為了能游五分鐘的游泳課。

到了十一歲，菲爾普斯開始接受游泳教練鮑伯．波曼的調教，接著下來每天五個小時的魔鬼式訓練，他不但不叫苦，且甘之若飴，十五歲的時候第一次參加奧運，開啟了他在游泳方面傳奇的一生。從這一則故事，給了我們很多啟發，原來過動兒只要找到興趣，找到可以讓他專注的事情，他的潛能也會被激發，將來成就也能讓我們刮目相看。

（四）因忘我產生特殊力量

另一個例子是塞爾瑪．拉格蘿芙（Selma Ottilia Lovisa Lagerlöf）。她在一九〇九年獲得諾貝爾文學獎，同時也是首位獲得此項殊榮的女性。

塞爾瑪在一八五八年出生於瑞典，從小罹患一種奇怪的病，讓她無法走路，但是她對自然界形形色色的東西特別喜歡。據說，有一次她和全家人一同乘船旅遊，船長的太太跟小朋友們說，他們擁有一隻天堂鳥，由於描述得太生動美麗了，塞爾瑪被深深地吸引，渴望馬上看到。於是保母就把孩子們留在甲板上，自己先去找船長了解是否能趕快帶小朋友去看。

在等候的空檔中，塞爾瑪已經等不及了，看到船上的一位服務生走過來，立刻要求服務生馬上帶她去看天堂鳥。湊巧的是，這位服務生並不知道塞爾瑪無法行走，所以答應她的請求，且拉起塞爾瑪的手要帶她過去。結果奇蹟出現，塞爾瑪竟忘我地拉住服務生的手，慢慢地站了起來。從此，塞爾瑪漸漸可以行走了！所以，當一個人「忘我」、「專注」，很多不可思議的力量，就會源源不絕產生了，這就是我們內心的潛能啊。

從上面的四個故事，更肯定「天生我才必有用」的看法，每個人或多或少都有程度不一的潛能，有些人可能比較單一，有些人可能比較多元；有時靠著自己自覺，有時靠著他人促成。重點就是激發出來以後，要好好努力用功學習、練習，此時你會很有自信的去面對人生，開創出一條不平凡的道路。

（五）人類潛能知多少？

到底我們人的潛能有多少種類呢？世界著名發展和認知心理學家、「多元智能理論」創始人——哈佛大學教授霍華德·加德納（Howard Gardner），將人類智能類型分成八種，其目的在反駁「IQ 測驗」以成績來定終身的智力觀點。

此八種智能如下：

語文——語言智能（Verbal-linguistic intelligence）

音樂——節奏智能（Musical-rhythmic intelligence）

邏輯——數理智能（Logical-mathematical intelligence）

視覺——空間智能（Visual-spatial intelligence）

肢體——動覺智能（Bodily-kinesthetic intelligence）

自知——自省智能（Intrapersonal intelligence）

交往——交流智能（Interpersonal intelligence）

自然——觀察智能（Naturalist intelligence）

◆ 每個孩子都是潛在的天才兒童

一個人立足在這個社會，生活在這個世間，或多或少有幾樣智能，如果我們能夠提早開發，雖然不是職業的選擇，也能夠成為我們的興趣，相信您會生活得很有自信，非常的快樂。同時也能夠理解，我們的孩子為何對某些事情就是不熱心，甚至不管如何教導就是不會、不懂。我們也不要覺得他們偷懶逃避，因而給予嚴厲的苛責和打罵，造成親子之間的緊張關係，要知道此時我們最重要的事情，就是和我們的子弟共同尋找讀書動力及投入方向。

霍華德教授有一句名言：「It's not about how smart you are, it's about how you are smart.」

我們不需要根據人為的標準來評量我到底有多聰明、多有能力。真正的聰明人，是那些知道如何運用自己的特長，並在那個領域發揮，實踐夢想，幫助自己也能夠幫助別人。也就是說評價一個人是否成功，不應該從他的聰明、地位或者財富，而在於他是否能夠發揮潛能，並朝著這個方向努力前進。

霍華德教授的另一句名言：「每個孩子都是一個潛在的天才兒童，只是經常以不同的形式表現。」又說：「『人才』絕不僅指少數的菁英，『能夠成功地解決複雜問題的人』都是人才。」這句話，對每一個人都有很大的鼓勵作用。

他在告訴我們，所謂的人才，不是你有多聰明，而在於你能夠解決問題，你能夠解決人我溝通的問題，你也是一個人才；你能夠解決行政事務上的問題，你就是人才；你能夠解決法務的繁雜狀況，你就是人才；你很會炒菜煮飯，你不也是人才嗎？一個人在某個領域當中，可以發揮出獨特的光輝，就是人才！所以，若你能夠在各領域發揮，代表你就是多元性的人才。

有一次我發現普中的招生簡章寫著「用心帶好每個學生」，突然有感而發，建議校方改成「用心成就每個學生」。因為依據我對學生的了解，當他們潛能被開發出來，當他的興趣被培養出來，當他確定了人生方向，這個學生你不用花太多時間去照顧，他會自動自發學習，我們當老師的從旁給予協助、給予支援，相信每個學生都會有了不起的成就。

後來十二年國教課綱頒布，看到課程的願景寫著「成就每一個孩子」，學校的任務就是要以適性揚才、終身學習為首要目標。課程的目標有四：「啟發生命潛能，陶養生活知能，促進生涯發展，涵育公民責任。」很高興自己的淺見，能夠和教育學者專家的看法一致。

四、佛性常存

最後一段要跟大家分享的是「佛性常存」。也就是說，也許你去惡向善的一面還沒有被大家認同，也可能在學習調整的過程中太過緩慢，或是你沒有什麼突出專長而被人鄙視，但請不要放棄！為什麼？因為我們至少是「佛性常存」的人，有了這一顆佛心佛性，終有一天我們都有成佛的可能。

◆ 人人皆有佛性，如果「懷珠作丐」就太可惜了。

二千六百年前，釋迦牟尼佛在印度菩提樹下悟道後，第一句話就說「人人皆有佛性」，只因妄想執著而不知道自己就是佛。所以《法華經》裡有所謂「懷珠作丐」的譬喻，猶如家道中落的富家子弟，衣服裡面有一顆珍珠，自己卻不知道，還天天乞討維生。目的在告訴凡夫眾生，人人皆有佛性，我們卻不去發掘，良可嘆也！

接下來我們要來了解，從哪些地方可以感受到佛心佛性的顯現？例如偉大母親散發出的母愛光輝，就是佛心佛性的展現。

（一）偉大的母愛

二〇〇六年十二月，恆春近海發生了三次強震，最大規模達七級。有一位母親在斷壁殘垣中以身體保護七歲的兒子，被救出來的時候，這位偉大的母親已經往生，但是她的兒子卻活了下來。

二〇〇八年五月，四川省汶川大地震，相傳救難人員在北川縣，發現一位被倒塌房子壓得變形的女子，但她卻呈現雙手撐地、雙腳跪地的姿態，直覺告訴他們裡面應該有些不尋常。果然救難人員用手往遺體下方探索，發現下面竟然有人！清除瓦礫後，發現是一位睡著的小嬰兒，當醫護人員為小嬰兒檢查的時候，卻發現裹在被子裡面有一支手機，按下按鈕，螢幕顯示出一條已寫好的簡訊：「親愛的寶貝，如果妳能活著，一定要記住我愛妳。」多偉大的母愛，多偉大的菩薩心腸啊！

人類如此，動物何嘗不是呢？古代有一位名叫周豫的讀書人，最喜歡吃鱔魚。有一天朋友送給他幾尾鱔魚，他迫不及待動手烹煮，當他掀開鍋蓋，發現有一條鱔魚的身體竟然向上拱起，頭部及尾巴在煮沸的湯水中，身體依然保持彎曲沒有倒下。好奇心驅使，他剖開鱔魚的腹部，結果發現裡面竟藏著難以計算的魚卵。原來這條母鱔魚護子心切，寧願遭受極大痛苦，使盡全力而將腹部彎起，避開滾熱的湯水。周豫看到這一幕，發誓終身不再吃鱔魚，並對母親加倍地尊敬與孝順。

清明掃墓，許多人仍有燒紙錢祭祖的習慣，如果不注意火燭，或是沒有澆熄殘火，很容易釀成火燒山，最無辜的就是一些動物的生命受到傷害。網路上曾出現一張被掃墓野火燒焦的山雞照片，但特殊的是，牠的屍體沒有任何掙扎跡象，也就是此山雞在火燒的時候，竟然沒有跑動。為什麼呢？當人們翻動山雞，才發現一窩已經被烤熟的蛋，原來這隻母山雞在斷氣之前，仍用盡生命的力量，忍受燒烤的痛苦來保護自己的孩子。

還有，我曾經看過一段影片：小瞪羚渡河遇到鱷魚攻擊，就在最危急時，母瞪羚奮不顧身地跳入水中，以飛快速度游到鱷魚和小瞪羚的中間，鱷魚也毫不客氣地張開血盆大口，咬住母瞪羚。母親犧牲了，但小孩卻安全登上對岸。

俗話說「天下父母心」，無論是人還是動物，當了母親以後，都捨不得孩子受到傷害，當子女有了災難，她（牠）所表現出來無條件的愛和犧牲，真是令人動容啊！所以《華嚴經》說：「心、佛、眾生，三無差別。」

（二）動物和人類

接下來，我們來看看動物跟人類之間的互動。動物一旦認同你，也感受到你的善意，所表現出來的和善態度，也是令人感動的。

一九六九年，兩位從澳洲到英國的大男孩，約翰和安東尼，在倫敦看到一頭被關在籠子的小獅子，兩人用了二百五十個英國舊金幣買下牠。一九七〇年，由於克里斯汀的體型和力氣都不適合繼續當「寵物」了，於是他們決定把牠帶到肯亞野生動物保護區野放，回歸大草原。

他們留在那邊觀察，一直到確認克里斯汀已被訓練至有野外求生能力，生存環境也安全後才離開。之後，他們一直與專家保持聯繫，且數次重返肯亞，從遠處看克里斯汀的身影。

一九七二年，因專家有三個月追蹤不到克里斯汀，約翰和安東尼決定重返肯亞，希望能見到克里斯汀最後一面。結果，就在他們抵達肯亞的前一天，克里斯汀已經現身保護區。當他們前往位於保護區叢林外面等待時，遠方出現了一隻大獅子，兩人又緊張又小心，因為克里斯汀已恢復野性。

克里斯汀慢慢走近，卻好像認出他們兩人，很快就飛撲過來，且跟他們擁抱，像以前那樣舔他們的臉頰。那時候，克里斯汀已有了家庭，母獅、小獅也都一起過來和救命恩人見面。專家提醒兩人是時候離開了，而這次重逢後，他們就再沒看過克里斯汀的身影，只留下了人獸之間美好的情誼。

從這一則故事，或許可以解釋，為何高僧大德可以和一些動物生活在一起，沒有受到傷害？我想就是他們的慈悲、無瞋、無害，兇猛野獸也為之降伏了。

另外，一九九六年八月，美國伊利諾州的一所動物園裡，一名三歲男童不慎掉入猩猩柵欄的水泥地面上，折斷了手臂，且不省人事。公猩猩以為有人要來搶占地盤，正想過去攻擊這位小男孩，結果一隻叫 Binti Jua 的母猩猩，迅速過去把這位小朋友抱了起來。管理員進去時，母猩猩竟然將小孩交給管理員。這真是不可思議啊！

上面這兩則故事所描述的是動物和人的互動，所表現出的佛心佛性。接著我們來看，流浪漢、小偷、敵人的佛心佛性如何顯現出來？

（三）人我之間

著名網路紅人雷哈（Rahat）最喜歡用魔術道具惡整人，然後把對方受驚嚇的影片放上網路。不過，這次他不整人了，改做善事。

雷哈聽說住家附近有個為人和善可敬的流浪漢艾瑞克，於是決定幫助他。雷哈將一張「聲稱中獎」但實際沒中的彩券捐給艾瑞克，還說自己不清楚中獎金額，然後，他帶艾瑞克走進附近商店兌獎。

其實雷哈早就跟店員串通好，請他告訴艾瑞克，這張彩券的獎金是一千美元。店員看到艾瑞克進來的時候，就立刻拿出十張百元大鈔交給他。艾瑞克不敢置信，一直不斷地說著：「你在開我玩笑吧？」結果，當他拿到獎金後，他立刻拿出五張百元大鈔交給雷哈，然後跟他道謝，並表示他只要五百塊就夠了。又問雷哈是否不反對他把獎金分給其他人。

這個時候，換雷哈忍不住掉下眼淚來，並上前擁抱艾瑞克。雷哈本來要捉弄艾瑞克，結果卻被艾瑞克無私、無我、喜捨的精神感動了，這不就是艾瑞克的佛心嗎？

我們再來看，小偷在行竊的時候，是否會看到自己的良心。

這是二〇一四年發生在大陸徐州的事情，一個小偷到某戶人家偷竊，結果發現到這一個人太窮了，什麼也偷不到，想想世界上竟然有這樣可憐的人，便留下字條：「不好意思，你家真是一貧如洗，是我從未遇到過的，這二百元你拿去換鎖吧！」希望這位小偷能夠因為這一念的慈心，從此不再偷竊，相信他的人生會改變的。

最後一則故事，是面對敵我雙方，我們的佛心佛性仍在嗎？

美國飛行員布朗於一九四三年十二月二十日駕駛B-17空中堡壘，要去轟炸德國北部布萊明市郊區的戰鬥機製造廠。在猛烈的砲火中，B-17被擊中了，而德國飛行員史蒂格勒駕駛BF-109，受命去擊落這一架B-17。結果，史蒂格勒沒有把布朗駕駛的飛機擊落，反而把其他德國飛機技巧性地引開，然後引導受重創的B-17飛越北海航向英國，並向布朗舉手行禮。

之後，史蒂格勒返回基地，向長官報告說B-17已被擊落，掉入了大西洋。這個事情就這樣被掩蓋下來，也沒有人知道發生什麼事。但是，布朗一直感恩在心，並希望有朝一日能夠親自向他的恩人道謝。

經過四十多年，嘗試了各種方法，透過許多管道，兩個人終於見面了，重逢的那一刻是多麼地感動。布朗除了不斷地感謝外，還問史蒂格勒為什麼當初要放他一馬？史蒂格勒就告訴布朗，早年他的教官曾經告訴他們：「雖然是敵人，當他從空中乘著降落傘掉落下來的時候，你們不可以用機關槍把他們殺死，因為他是手無寸鐵的人。如果你們敢殺他，我第一個把你們斃掉！」

多麼神聖偉大的原則、多麼崇高理性的宣言。但更令人感動的是，其實史蒂格勒的哥哥跟弟弟都是在空戰中被美國人殺死，他非常想報仇，但碰到教官曾經的教導，碰到自己服膺的信念，便放棄報仇來奉守信念，這才是真男子啊。史蒂格勒的這種高尚節操，真的讓我們敬佩不已！

我們從上述的故事中，看到流浪漢的不貪，還要將獎金分享給同伴；小偷不但不偷比他還窮困的人家，還留下一些錢財給對方去換鎖；敵對的雙方，不願去傷害手無寸鐵的敵人。這些真實的事蹟，可以很明顯的看出，人人皆有佛心佛性。如何去開發我們這一座心靈寶礦，乃我們今生的重要課題。

如何成為一匹駿馬、千里馬？前面所談的「去惡向善」、「學習調整」、「發掘潛能」，以及記得我們的「佛性常存」，我們要努力「勤修戒定慧，息滅貪瞋痴」。相信我們一定可以「駿程萬里」，飛揚十方。

◆ 如何開發我們的心靈寶礦，乃今生重要課題。

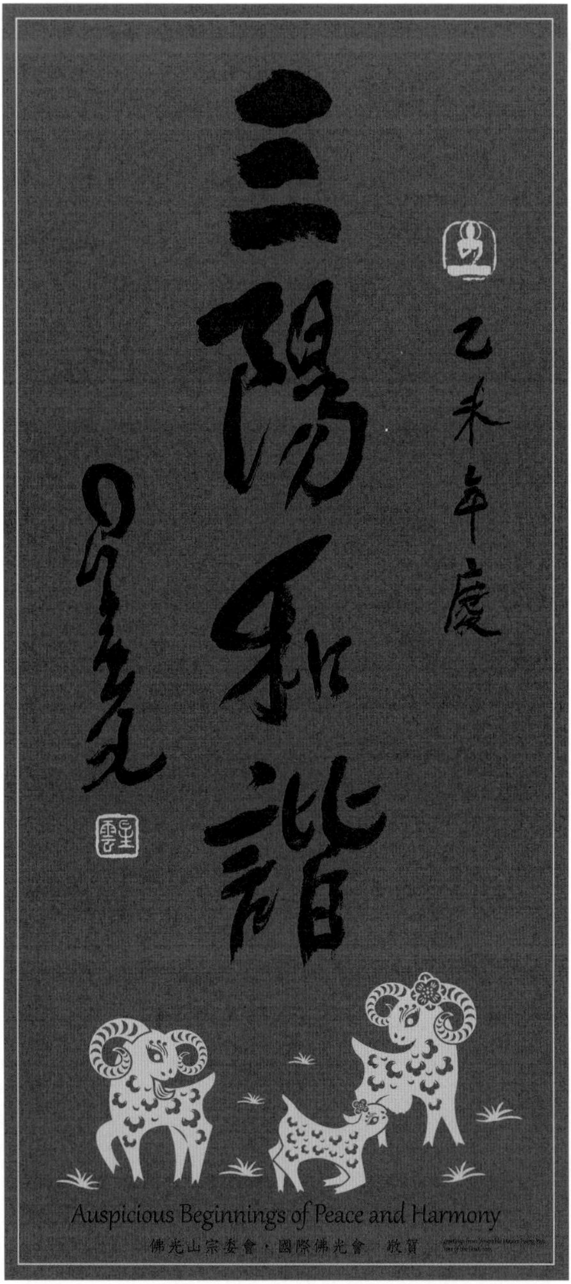
三陽和諧
乙未年度
Auspicious Beginnings of Peace and Harmony
佛光山宗委會．國際佛光會　敬賀

三陽和諧

陽光溫暖世間，和氣、和平、不鬥爭。

冬去春來，萬象更新，
從人生角度來說，表示突破困境，
生活、事業漸入佳境。
但如何將幸福安樂延續下去？
我們要懂得「持盈保泰」，
講慈悲、講道德、講信義，
大家和諧、尊重、合作，
必會有一個好的未來。

三陽和諧，春來福到

七

二〇一五年是羊年，星雲大師的新春賀詞是「三陽和諧」。為什麼不是一般人熟悉的「三陽開泰」呢？此點大師於二〇一五年一月四日在《人間福報》發表的一篇文章有解釋過，因此我想針對大師的開示，以「三陽和諧，春來福到」為題，擴大說明此文的意涵，並分成四大重點來分析其中奧妙：

一、新春吉祥，平安快樂。

二、冬去春來，萬象更新。

◆ 每個人當年的第一炷香、第一槌鐘，就是自己的頭香、頭鐘。

三、慈悲柔和，和諧相處。

四、三陽和諧，春來福到。

一、新春吉祥，平安快樂

星雲大師在新春賀詞最後一段說：「祝福大家『三陽和諧』，在新的一年裡，平平安安、快快樂樂。佛祖保佑大家！」

我們華人在過年期間，通常會做的幾件事情，如在家裡吃年夜飯、守夜、祭祖、走春、拜訪親人，或到寺廟點光明燈、敲頭鐘、燒頭香、朝山及參加禮千佛法會等活動法會。無非是希望接下來的一年能夠平安順遂，所以大師特別寫了這一句祝福語。

在春節期間，佛光山除了舉行上述的年節習俗外，甚至更用心的張燈結綵、布置花燈、潔淨環境、舉辦活動法會，讓社會大眾來一趟佛光山能夠滿心歡喜，所求滿願，藉由豐富的心靈饗宴，充實生命內涵、開展璀璨人生。茲就幾個活動法會的背後含義，向各位讀者做個簡單說明，讓大家知道如何真正獲得平安吉祥：

（一）燒年香、敲年鐘的真義

過年期間，民間習俗有所謂的「燒頭香、敲頭鐘」，也因為太過於強調燒「頭」香、敲「頭」鐘的重要性，因而產生了一些亂象。從媒體報導，我們看到有些人為了要搶插宮廟的第一炷香，結果造成你推我擠、相互踐踏的現象，把一個原本莊嚴的宗教儀式，搞得亂七八糟，神聖的氣氛蕩然無存，相信神明應該不會認同此種作法。

因此，大師對於民間的「燒頭香、敲頭鐘」，賦予新的定義，叫做「燒年香、敲年鐘」。什麼是「燒年香」呢？每一個人在這一年插的第一炷香，就是自己的「頭香」。

你不但不必去你推我擠，還可以跟諸佛菩薩心靈對話，然後以最虔誠心願，獻上心香一瓣，這樣的「頭香」才有它的意義，也才能受到諸佛菩薩的祝福。

那什麼是「敲年鐘」呢？每一個人這一年當中，到寺廟敲的第一槌鐘，就是他的「頭鐘」。有少數的寺廟拍賣晚上十二點整的「第一槌鐘」，且宣說有多大的功德福報，如此是不符合佛法平等的真義。

（二）點燈賞燈，傳遞幸福

大師除了對民間的燒頭香、敲頭鐘重新賦予新義，對於點「長明燈」也有新的見解。在過年期間，信徒或一般人喜歡到佛寺或神廟裡面，點一盞「長明燈」，希望能夠永保安康、榮華富貴。但佛教真正的道理是在說苦空無常，這樣不就兩相衝突，有所矛盾嗎？

所以大師建議將點「長明燈」，改成點「平安燈」或「光明燈」，如此點燈的意義才能彰顯，為何呢？

◆ 點燈供佛之際，更要點亮自己心靈的燈光。

因為人人皆有清淨的本心，卻被貪瞋痴煩惱所蒙蔽，無法顯露出我們的清淨自性。因此我們要在過年期間來到佛前點上這一盞「光明燈」，破除我們心靈的黑暗，如此我們的光明、希望、平安、幸福才會來到。

所以大師在〈點亮心靈的燈光〉文章裡面提到，我們要：

第一、點亮家庭倫理的心燈。

第二、點亮尊敬和諧的心燈。

第三、點亮祝福友愛的心燈。

第四、點亮互助包容的心燈。

第五、點亮守法服務的心燈。

第六、點亮勤勞節儉的心燈。

第七、點亮忍讓和平的心燈。

第八、點亮般若智慧的心燈。

也就是在日常生活中實踐滿手的好事、滿口的好話、滿心的歡喜、滿面的笑容，如此我們才真正懂得點燈的意涵，也才會真正受到諸佛菩薩的加持。

（三）觀音菩薩「解七難」

另外，在過年期間，花燈的布置也是佛光山的一大特色，如果大家細細品味，可以感受到都監院的慧心巧思。如二〇一五年佛光山春節平安燈法會，有幾個讓大家眼睛為之一亮的花燈，除了造型特殊、設計精巧，背後的意涵也是很有啟發性的。

如「千處祈求千處應」花燈，是在介紹《普門品》「觀音解七難」。《普門品》云：「善男子！若有無量百千萬億眾生受諸苦惱，聞是觀世音菩薩，一心稱名，觀世音菩薩即時觀其音聲，皆得解脫。」接著下來，經文舉出當善男子、善女人面臨「七種災難」（火難、水難、黑風難、刀杖難、羅剎難、杻械枷鎖難、怨賊難），只要一心稱

◆ 觀世音菩薩救苦救難，千處祈求千處應。

念觀世音菩薩聖號，觀世音菩薩都會聞其音聲，濟拔苦難。

設計此花燈的用意，在告訴大家，觀世音菩薩「千處祈求千處應，苦海常作渡人舟」的慈悲精神，同時也告訴來山遊客，我們除了祈求菩薩救苦救難，也要效法菩薩的慈悲精神去幫助他人，也就是星雲大師所說的做好事、說好話、存好心，那麼此趟佛光山的春遊賞燈、殿堂禮聖，一定收穫滿滿。

大師在《星雲禪話‧與佛無緣》提到，一般人只重視有形有相的觀世音菩薩，卻忘了菩薩無形無相、慈悲濟世的一面。

有位虔誠信仰觀世音菩薩的佛教徒，有一次遇到水災，他爬到屋頂上等待救援。眼見大水已經上漲到屋頂了，信徒虔誠地祈求觀音菩薩快來救他。說也奇怪，竟然有一位原住民划著獨木舟迎面而來，招呼他上船，但這位迂腐的信徒，竟然說：「我不要你救，我要菩薩來救我。」原住民只得無奈地駕著獨木舟離開。

過了不久，大水已經淹到他的膝蓋，他著急地向天吶喊：「觀音菩薩快來救我啊！」此時看見一位時髦的年輕人駕著快艇前來，信徒卻說：「我最討厭科技文明的產物，我要菩薩救我。」於是快艇也走了。

水勢越來越大，已經淹到信徒的胸部了，他哭喊著：「菩薩，菩薩，您大發慈悲，快來救我吧！」一會兒的功夫，看到一位外國人駕著直升機來救他，他卻說：「我不需要老外來救我，我要觀音菩薩來救我。」直升機只好離開了。

正當信徒快要滅頂的時候，剛好佛光禪師搭著船四處救災，路過此地，一把將信徒救了起來。此時信徒不滿地對禪師抗議：「像我如此虔誠地信仰，為什麼觀音菩薩都不來救我呢？」

佛光禪師嘆口氣說道：「你真是愚痴！第一次菩薩駕著獨木舟來救你，你不肯上船；第二次菩薩改駕著快艇來救你，你又說不喜歡；第三次菩薩趕快用直升機來救你，你也不願意。觀音菩薩一次又一次地救你，你不但不感謝，還嫌東嫌西，實在是與佛菩薩無緣。」

最後大師評論道：菩薩是三十二應化身，光是執著盲信，只知其一，不知其二，沒有禪的智慧，所以不能認識「青青翠竹盡是法身，鬱鬱黃花無非般若」。

誰是菩薩呢？其實我們身旁周遭常可以看到急公好義、樂善好施、濟弱扶傾、慈悲喜捨的人，他們不就是我們的人間菩薩嗎？

（四）天堂在哪裡？

花燈布置的另一個特點是「天堂在哪裡？」不論從佛光山往佛館，或是從佛館往佛光山，你都會經過聳立在佛光大道上的二百公尺長的光環隧道。它的特色在哪裡呢？正如人間社記者陳昱臻所說：

◆「天堂在哪裡」的光環隧道，頗受大人、小孩喜愛。

「今年的『天堂在哪裡』再度發揮創意，取材童話和動畫，遊客可以穿越『馬達加斯加』，來到冰雪奇緣的『童話世界』，開心的雪寶正在門口歡喜迎接；再悠遊『海底總動員』，抵達『水果樂園』，帶來煥然一新、回到童話樂園般的視覺饗宴。而盤踞屋簷上二百公尺的『金龍獻瑞』，向大家拜年，獻上平安吉祥、諸事圓滿的祝福。」

又說：「星雲大師說：『知足常樂是天堂，慈悲喜捨是道場，服務助人是福田，歡喜融和是樂園。』只要人人『做好事、說好話、存好心』，『給人信心、給人歡喜、給人希望、給人方便』，就能促成『自心和悅、家庭和順、人我和敬、社會和諧、世界和平』。別懷疑，天堂就在眼前，人間即是天堂。」

從上述的報導，可以看出都監院書記們的用心，他們將當年最受歡迎的主題、人物，加上高雄最負盛名的水果，運用在花燈設計及製作，讓來山信眾、遊客「喀嚓」、「喀嚓」的拍照聲不斷，讓大家驚喜不斷、笑聲不斷、話題不斷，親子關係更加的緊密。正如同星雲大師所說的：佛光山的特產就是「歡喜」。當人的歡喜心開發出來，相信此時煩惱妄想消滅，內心感到輕鬆自在，這一剎那不就是菩薩修行五十二階位之「歡喜地」的境界嗎？

以上只是簡單介紹幾個花燈的意義。透過巧思布置，除了讓大家看得歡喜，也希望藉著花燈讓人們去體會背後的含義，讓心靈的真善美養分更加滋長，實質感受到諸佛菩薩的加持祝福，讓生活過得更加幸福美滿。這不就是「新春吉祥，平安快樂」的意義嗎？也是佛光山殫思竭慮設計花燈的目的。

二、冬去春來，萬象更新

星雲大師在新春賀詞說：「二〇一五年是羊年，過去中國都以『三陽開泰』來祝福大家這一年的日子過得好。『三陽』就是《易經》上的一個卦名，冬天去了，春天來了，萬物生長、萬物更新，所以就有『三陽開泰』的祝語。」

（一）「三陽」的含義

要體悟大師這一句祝福語的意涵，我們要先了解「三陽」的定義。

「維基百科」在探討「爻」的時候，有這麼一段話：「《易經》八卦中有兩個符號，一個是『⚊』，另一個是『⚋』。在《易經》中並沒有『陰陽』二字，數百年後的《易傳》才把『⚊』叫陽爻，把『⚋』叫陰爻。八卦是以陰陽符號反映客觀現象。……『⚊』性剛屬陽，『⚋』性柔屬陰。萬物的性能即由這陰陽二氣演化而來。」

了解了「陰爻」、「陽爻」兩個符號後，我們從內心發出讚歎，古人為何這麼有智慧，能夠將「陰爻」、「陽爻」重新組合，最後演繹出「六十四卦」，說明天地宇宙人生的各種道理。此處就不去細說內容，我們要談的是「六十四卦」中的三個卦：「復卦」（䷗），一條長的在下面，五個短的在上面；「臨卦」（䷒），兩條長的在下面，四條短的在上面；「泰卦」（䷊），三條長的在下面，三個短的在上面。

我們都知道農曆十一月冬至那天是晝短夜長，過了冬至，白天漸漸變長，夜晚漸漸變短，陽氣漸漸回升，所以「復卦」的下面是一個「陽爻」，上面是五個「陰爻」，俗稱「一陽生」；到了農曆十二月「臨卦」的下面是二個「陽爻」，上面是四個「陰爻」，俗稱「二陽生」，表示陽氣更旺盛了，大地也漸漸復甦了；到了農曆正月「泰卦」的下面是三個「陽爻」，上面是三個「陰爻」，俗稱「三陽生」，代表乾坤陰陽交會最融和、最平衡的時刻，也代表整個大地回春的狀態。所以「泰卦」是一個好卦，故有「否極泰來」、「否終復泰」的成語產生。「三陽開泰」就是表達了冬去春來，萬象更新的大吉大利的好日子。

同樣的，將此種觀念用在我們的人生，每個人都會碰到很多挫折、困難，也都會碰到走霉運的時候，但是不要怕，只要我們能夠堅持信念、勇往直前，百折不撓、不走邪路，總有一天我們也能「冬去春來，萬象更新」！

（二）冬天到了，春天還會遠嗎？

英國詩人雪萊（Percy Bysshe Shelly）說：「冬天到了，春天還會遠嗎？」（If Winter comes, can Spring be far behind?）雪萊的這一句名言，和三陽開泰有異曲同工之妙，人生碰到很多災難、危機，記得不要喪失信心，終有一天萬象更新，大地回春。

就以和氏璧被發現的過程來說吧！楚國人卞和在楚山發現一塊外裹岩石的璞玉，就將此玉獻給當時的國君楚厲王，卻被御用的玉匠認定為石頭，以欺君之罪被砍斷左腳。

◆ 人生雖遇風雪，終會冬去春來。

厲王死後，楚武王即位，卞和再次獻此玉，王一樣叫人鑑定，結果仍被認為是一塊石頭，又砍了其右腳懲罰。傷心難過的卞和，帶著玉石回到楚山，慟哭了三日三夜，新即位的楚文王聽聞此事，派人詢問事情緣由，卞和說：「我並非因被砍去雙腳而傷心，而是寶玉被認定為頑石，忠臣卻被認為是騙子，這才是我痛心欲絕的原因啊！」楚文王派工匠除去裹在玉石上的岩石，才看到了這塊玉，於是將寶玉命名為「和氏之璧」。

人生不也如此，你滿腹的才華，卻不被當朝所用，還受到不平的待遇，相信你一定鬱鬱不得志。這不就像卞和，雖然不斷敬獻寶玉，卻不被國君所認同，還被誣陷欺騙君王，內心的苦痛可想而知。但他堅定信念、百折不撓，終於苦盡甘來，受到賞識，讓和氏璧重見光明。這不就是三陽開泰、否極泰來嗎？

（三）堅持信念，勇往直前

相信大家都聽過或是看過《白鯨記》，此書之所以扣人心弦、引人入勝，相信和作者赫曼・梅爾維爾（Herman Melville）當過水手及悲慘際遇有關。

作者一八一九年出生於美國紐約曼哈頓的富裕家庭，父親破產後家道中落，自此過著貧困的生活。當時十五歲的梅爾維爾只好輟學投入職場，他先後做過商店夥計、銀行職員、代課教師、貨輪船員。一八四一年他登上捕鯨船「阿庫什尼特號」，擔任捕鯨水手，短短三年的航海生活，遭遇了許多波折，但卻豐富了他寫《白鯨記》的資糧。

二十五歲那年他回到美國，開始了寫作的生涯，此段期間他寫了不少以航海為主題的小說，但反應不佳。其中一本就是《白鯨記》，在一八五一年出版，推出後市場反應冷淡，甚至有些評論家更是無情地批判此書，說它是「一鍋用哲學、自然史、美文、優美感情和粗俗言語熬成的文字粥」，這一年此書只賣出五本。更倒楣的是，後來出版社發生火災，燒掉所有的庫存。

此後他的生命都是跌宕起伏，他的文學才華始終沒有受到應有的重視和認可，還一度要依靠岳父接濟才能過活。迫於生活的壓力，他不得不放棄寫作的興趣，擔任紐約海關督察員。雖然內心寫作的火苗仍熾熱，怎奈無法付諸實現，就這樣，他在一八九一年鬱鬱寡歡、默默無聞地離開了人間。

但梅爾維爾的文學才華並沒有隨著人生舞台的謝幕而消失，到了一九二一年，《白鯨記》開始引起人們的注意。哥倫比亞大學英語系教授卡爾・范多倫，在其出版的《美國小說》中稱其為「美國浪漫主義的巔峰」；著名作家D.H.勞倫斯也稱《白鯨記》是「無人能及的海上史詩」。英國知名小說家及評論家毛姆，認為《白鯨記》是「美國文學代表作」，還說《白鯨記》的地位勝過愛倫・坡及馬克・吐溫。甚至世界著名的咖啡店「星巴克」，以《白鯨記》中一位處事冷靜，充滿人性關懷的大副斯達巴克（Starbuck）為名，可知《白鯨記》的魅力。

綜觀梅爾維爾的一生，前十五年過著幸福的日子，後半生卻過著窮困潦倒、朝不保夕的生活，最愛的寫作也不得不放棄。但好的作品不會被埋沒，最終受到世人重視，甚至成為世界十大小說家之一。所以他的例子給了我們很大的啟發，當人生受到無情打擊、無理對待，只要我們堅持理想、握穩方向，不畏風雨、不懼坎坷，意志堅定、勇往向前，終有一天勝利成功就在眼前。這不就是「冬天到了，春天還會遠嗎？」

（四）永不放棄的體操選手

迪歌．海波利托（Diego Hypolito），是一名來自巴西的地板體操選手，他是二〇〇五、二〇〇七兩屆世界體操錦標賽自由體操冠軍，也是巴西乃至南美首位在世錦賽獲得金牌的選手。

當他去參加二〇〇八年的北京奧運，可想而知，全國人民將奪牌的希望寄託在他的身上，可能是壓力太大，他做了幾個空翻動作，落地時一個重心不穩，一屁股跌坐在地上。他哭喪著臉下台，可以感受到他的懊惱，當時他只有二十二歲。

又經過四年，二〇一二年的倫敦奧運上，海波利托再次挑戰，但是又失敗了，從他不發一語的下台，低著頭雙手靠著休息區的隔欄，可以感受到他的傷心痛苦。

苦練了這麼長的時間，就是希望在奧運的殿堂中好好表現，但卻不斷地搞砸，事後他說，這次的失敗深深地影響著他的生活，「當我跌倒的時候，我很羞愧，甚至比犯罪的感覺更糟。」幸好此種罪惡的感覺沒有持續下去，他激勵自己，從哪邊跌倒，就從哪邊站起來，永遠不要放棄。二〇一六年的里約奧運，已經年逾三十的海波利托再次出賽，他沒有屈服於自己的高齡，也沒有屈服於過去的失敗，勇敢地接受挑戰。這次奧運是在自己的國家，自己的家鄉，「我要為巴西而戰、我要為自己而戰！」

隨著地主支持者的加油聲，海波利托一次一次的迴旋翻轉、一次一次的後空翻，一次又一次的輕巧落地，他終於做到了，完成了前兩次奧運會沒有辦法完成的演出。迪歌．海波利托為自己歡呼，地主觀眾也不吝惜地給他喝采。最後他以優異的成績得到銀牌，他激動地吻著獎牌，流下喜極而泣的眼淚。第一次他跌倒了，屁股朝下；第二次他跌倒了，臉部朝下；第三次他沒有跌倒，他是雙腳朝下，臉部驕傲地朝上。

飛人麥可．喬丹（Michael Jordan）有這麼一句名言：「我可以接受失敗，每個人都會在某些事情上失敗。但我無法接受不嘗試。」（I can accept failure. Everyone fails at something. But, I can't accept not trying.）。從以上三個故事可以得知一個很重要的觀念：一個人遭逢困境、面臨失敗，只要不放棄，終有一天也會「冬去春來，萬象更新」。

三、慈悲柔和，和諧相處

接著，我們要談另一個觀念：

經歷了嚴寒的冬天，大地的回暖，最後冬去春來，萬象更新，從人生的角度來說，表示突破了困境，生活、事業漸入佳境，但我們又如何保持好不容易得到的甜美果實呢？這就是為何大師要說「三陽和諧」，不說「三陽開泰」的原因。

我們從童話故事中，看到千篇一律的結局，公主和王子歷經了多少驚心動魄的歷程，最後「過著幸福快樂的日子」，真的如此嗎？在現實生活中，我們看到好像不是這麼一回事。人人稱羨的金童玉女結婚了，過了不久竟然離婚，可能小倆口都是天之驕子，結婚以後各有主見，難免就會鬧意見，最後一言不合，雙雙分手。

另外，我們看西漢大富人家的卓文君，嫁給家徒四壁的司馬相如，縱然卓父（卓王孫）生氣，不給他們任何經濟上的幫助，夫妻倆共同開個酒館亦能維持生計，生活雖然艱難，但感情卻日深。然而當司馬相如被漢武帝賞識了，認識的達官貴人多了，賦文越來越出名，受到更多人吹捧，竟然被眼前的榮華富貴、讚譽之聲所迷惑，最後還生起納妾的念頭。幸好智慧過人的卓文君，以〈白頭吟〉、〈怨郎詩〉打消司馬相如的念頭，但夫妻的嫌隙已悄悄地展開了。

如何讓好不容易得到的幸福安樂能夠延續下去，是人生要學習的課題。所以接下來要探討的重點是「慈悲柔和，和諧相處」。

（一）和諧是團體相處的要素

大師新春賀詞如此說：「太陽的『陽』與生肖的『羊』是諧音。羊性格柔和，討人喜歡；陽光溫暖世間，一團和氣，『三陽』有和平、不鬥爭的意思，所以我就以『陽』比作『羊』，改說『三陽和諧』。」

又說：「中國地方之大、人之多，最重要的就是和諧，尤其現在兩岸講究和平，首先就是要從和諧做起。人和人之間，不但一家人要和諧，一個團體要和諧，男女老少要和諧，貧富人等要和諧，種族要和諧，地區也都要和諧。」以下舉幾個事例，說明「和」的重要性。

星雲大師曾開示〈五指爭大〉的故事：五根手指都各自炫耀自己的偉大及重要，都要爭做老大。最後小拇指說「我最小、最後，但當人們心存恭敬，合掌的時候，我最靠近佛祖。」其餘四根手指頭才閉上嘴巴，不再爭做老大。

一個團體何嘗不是？人人認清自己的角色，發揮自己的所長，團結一心，不去爭鬥，和諧相處，變成一個拳頭，這樣團結起來的力量，一定是「一加一大於二」，也才能真正幫助團體的成長。

大師還講過一個很有趣的故事：一日，眼睛、眉毛、耳朵、鼻子、舌頭等五官在開會，討論誰對人類是最有用、最重要，結果眉毛都不敢置喙一詞，因為他講不出他的用途在哪裡。眼睛、耳朵、鼻子、舌頭紛紛發難，不准眉毛放在他們的上面，眉毛也很識相的移到最下面。結果大家照了鏡子一看，這還得了，鬍鬚和眉毛竟然混在一起，這哪裡像個人？還是讓無用的眉毛回到眼睛的上面吧。

所以大師在《迷悟之間．集體創作》一文提到：「五官的鬥爭，無用的眉毛也有大用；集體創作要養成尊重別人、讚美別人的貢獻，要能功成不居。」尊重別人、讚美別人，功成不居，正是團體和諧、共生吉祥的重要因素。

《星雲說喻》有一則〈四個老人〉的故事，更將「慈悲柔和，和諧相處」的重要性表達出來。文中提到，一位婦人在傍晚外出倒垃圾，看到四個老人在寒風中顫抖，心生慈悲邀請他們入內，但因為家中男人不在，他們說不方便進入。

等到先生回來，婦人將此事告訴丈夫，先生便出去請老人入內取暖用餐，但他們卻不肯進入，為何呢？其中一個老人說，我們四個老人分別代表財富、成功、平安、慈悲四個願望，只要我們哪一個進入這個家庭，他們就會圓滿願望，所以只能一個進入。

先生馬上邀請「財富」進入；太太反對，她要「平安」進來；兒子說我要「成功」……。正在大家僵持不下的時候，小女兒說我要「慈悲」進來，因為有了慈悲，家裡才有溫暖，家庭更加和樂。最後大家贊同小女兒的看法，決定邀請「慈悲」進來。

奇怪的是，當慈悲進門的時候，分別代表財富、成功、平安的老人也跟著進來，婦人訝異地問為何會這樣，三個老人笑著說：「我們有一個慣例，慈悲到哪裡，我們就跟到哪裡。」

是的，有了慈悲才能夠「家和萬事興」、「琴瑟調和」、「和氣生財」、「和睦相處」、「和衷共濟」、「和氣致祥」、「一唱百和」、「政通人和」。當然有了「和」，我們才能夠讓「家庭是樂園，人間是淨土」。可見「慈悲柔和，和諧相處」的重要性。

（二）以愛才能贏得愛

大師在《百年佛緣．我的人間佛教性格》提到「以愛贏得愛」的故事。有一天，一位信徒去找大師說她不想活了，因為先生有了小三。大師聽她訴說整個來龍去脈後，告訴她：「我有辦法能夠挽回妳的婚姻，不過，妳一定做不到！」她馬上擦乾眼淚，求大師快點告訴她。

大師正色地說：「先生之所以有外遇，不外是太太在家抱怨嘮叨，嫌他這個，嫌他那個，所以只好在外面找歡樂。但是妳不但不自我反省，還變本加厲，對他們種種批評，妳這樣謾罵，只會使先生覺得家裡像地獄一樣，讓他更加厭惡摒棄……。」

大師接著叮嚀她，從今天開始要贏得先生的感情回來，不是加倍埋怨，而是一定要加倍對丈夫更好，因為「以恨怎麼能贏得愛呢？以愛才能贏得愛啊！」

經過半年，一向對佛教素無好感的先生突然出現拜訪大師，表示非常感謝大師，並希望以興建寺廟來報答。原來，這位信徒完全按照大師的話去做，久而久之，先生覺得還是家裡溫暖，因此又回到太太身邊。

有一天，先生忍不住地問她，妳的師父是用什麼招術教妳，為什麼妳突然改變態度，對我這麼好。她告訴先生說：因為我的師父說「以愛才能贏得愛！」以愛才能贏得愛，不就是夫妻相處之道嗎？它是家庭的穩定基石，也表達了「慈悲柔和，和諧相處」的重要性。

（三）「仁慈」比「聰明」更難

亞馬遜（Amazon）創辦人傑夫．貝佐斯（Jeff Bezos），二〇一〇年受邀到母校普林斯頓大學對畢業生演講。

他說大概十歲的時候，有一天外祖父母開車帶他出去玩，因為這是期盼已久的旅程，他非常的開心。

由於喜歡數學，他常利用各種機會練習算術，計算汽車每加侖跑多少英里、算買菜買了多少錢……。此時在車上無聊，他突然想到曾經聽過的一則廣告，每吸一口菸就會減少幾分鐘壽命。於是很認真地計算外婆每天吸幾支菸、每支香菸要抽幾口，最後算出一個自己覺得非常合理的數字，然後驕傲地對坐在前座的外婆宣布：「外婆，妳知道嗎，每天吸一口菸會減少兩分鐘的壽命，妳已經少活九年了！」

本以為外婆會誇獎他的聰明，哪知外婆竟然臉色大變，然後哭了起來，他在後座嚇了一跳，不知道該怎麼辦。

這時候，外公慢慢的將車子停靠在路邊，下了車，繞到後座，打開車門，示意貝佐斯下車跟著他走到後方。此時貝佐斯內心忐忑不安，心想：「我是不是闖禍了？外公會責怪嗎？」但出乎意料，外公竟然沒有罵他，但注視著他，然後平靜地說：「傑夫，有一天你會明白，『仁慈』比『聰明』更難。」

講完這個故事，貝佐斯對著同學說：「『聰明』是天賦，而『仁慈』是選擇。天賦與生俱來，但是選擇就難了。如果不小心，你們可能就會被聰明誘使做了違背仁慈的選擇。」

貝佐斯這一段話值得我們去正視。一般的人都希望自己的孩子能夠聰明一點，但我們更應該要培養孩子「仁慈」多一點。

若只是仗著自己的小聰明，一味地選擇對自己有利的事情去做，縱然傷天害理也在所不惜，那麼人我之間的衝突、你爭我奪的現象一定不斷發生。反之，如果「仁慈」能多一點，我們會看到這個世間「做好事、說好話、存好心」的人會更多，如此幸福安樂的社會才會早日實現。如同大師常告誡我們：「一個人寧可什麼都沒有，但是不能沒有慈悲！」

從上面這幾則故事，可以發現到，當我們「冬去春來，萬象更新」獲得了成功的回報，接下來的人生，並非如童話故事所說，從此王子和公主過著幸福快樂的一生。要過著此種幸福的生活，是要用心經營的，而「慈悲柔和，和諧相處」是重要的法寶，如此才能繼續維繫這個甜美的果實。因而接下來還有幾個重要的維繫要素，我統一稱為「三陽和諧，春來福到」。

四、三陽和諧，春來福到

大師在新春賀詞說：「歷來羊年都說『三陽開泰』，今年再增加『三陽和諧』，相信我們全民族在講慈悲、講道德、講信義，大家和諧、尊重、合作之下，中華民族必定會有一個好的未來。」

大師這一席話，就是告訴我們要將慈悲、道德、信義運用在生活裡，同時人我之間、國族之間能夠和諧、尊重、合作，相信不但中華民族未來會更加美好，這個世界也會更加美好。所以接著下來我還要補充「新春吉祥，平安快樂」、「冬去春來，萬象更新」、「慈悲柔和，和諧相處」所沒有提到的觀念，讓大家真正認識「三陽和諧，

◆ 2015 年佛光山春節平安燈法會主題燈「三陽和諧，春來福到」。

春來福到」的意涵。

（一）提放自如

世間一切由不得我們作主，它會變異、無常。因此，面對世間的無常變化，總是讓人痛苦感傷、難以接受，所以我們面對災變的時候要提放自如，才能夠泰然處之。

我在美國西來寺服務的時候，有一天和來訪客人見面談話，特別感謝他們夫妻送給西來寺好幾個貨櫃的衣服，可以拿來做冬令救濟之用。但他們卻反過來感謝西來寺接受這麼多的衣服。讓我聽了一頭霧水，怎麼回事呢？

他跟我分享了一段悲慘的經歷。他們曾在某個城市開工廠，結果公司及住家被內神通外鬼給霸占了，突然變成有家歸不得、有廠回不去。如果回去打官司，不但不會成功，搞不好還會被上下串聯坐黑牢，甚至有生命危險。況且還有積壓在舊金山港口的貨品，要如何解決？處於如此進退維谷的時候，他和太太畢竟是學佛有成的人，因而冷靜下來共同思考對策。

首先，他們想到的是《金剛經》所說：「復次，須菩提！善男子，善女人，受持、讀誦此經，若為人輕賤，是人先世罪業，應墮惡道。以今世人輕賤故，先世罪業，則為消滅，當得阿耨多羅三藐三菩提。」

於是他們決定放棄當地所有的產權，並且告訴自己：「算是我們夫妻上輩子欠他們的，今生了結，來生不再糾纏。」另外，他們也細細去計算，放棄所有一切，重新再來，家庭日常開銷有辦法維繫嗎？孩子的教育有問題嗎？現有的積蓄可以讓他們東山再起嗎？想到自己還有一棟房子及一點點積蓄，未來的生活應該沒有問題，因此當機立斷，將所有貨櫃裡面的衣物，全部捐給西來寺作慈善用途，如此也可以減少寄放的通關費用。

跌了一跤，學到一個寶貴的經驗，他們更知道如何應付爾虞我詐的社會。經過幾年，他們又東山再起，所以今天回來感謝佛菩薩協助他們度過難關。聽完他們的經歷，我非常讚歎他們真正把佛法運用在自己的生命、生活當中。如果沒有那次的放下，他們不可能有今天的成就。

我們一般人是講時似悟，對境生迷，想不到他們夫妻竟然可以將佛法運用實踐，真正做到大師所說的：「人，要像一只皮箱，當提起時，你要提得起；當放下時，你也要能放得下。」

（二）養深積厚

面對無常，許多人一蹶不振、有些人奮起飛揚，此時我們除了要有勇氣面對難關，也要認真思考為何會出問題？我們應該如何記取教訓，不要重蹈覆轍，同時還要「養深積厚」，增加東山再起的本錢和資糧。

《續高僧傳》卷第二十八，記載了益州招提寺慧恭法師養深積厚的故事，值得我們學習。

慧恭法師，益州成都人，他與慧遠法師一起參禪、學習。一天，他們向常住請假，各自前往不同的地方參學。遠師前往長安學習經論，卓然有成，受到僧信敬仰。恭師則往荊楊（指荊州和揚州）修持佛法。離別三十餘年，他們再次聚首，一起交換學習心得，遠師舌燦蓮花滔滔不絕，恭師竟然無法提出一些高見來。

遠師於是問恭師，你這幾十年到底有什麼佛法體悟。恭師回答，因為資質愚鈍，都沒有什麼收穫。遠師又問，都沒收穫，那你有辦法誦持一部經嗎？恭師回答平日只誦《觀世音經》一卷。遠師一聽，便嚴厲地數落了一頓：「《觀世音經》是小孩子誦的經，何況你從小出家，還發願要得道開悟，三十年來只誦持一卷經，你真的是太懶惰太愚笨了。」因而要與恭師斷交，且叫他趕快離開。

此時恭師說：「此經雖是小兒誦的經，但畢竟是佛陀所說的，尊敬的人會得無量福，輕慢者會得無量罪，請你暫時息下瞋恨之心，讓我誦完此經，我就會離開。」

遠師聽了哈哈大笑：「此經我誦過百遍以上，真是糟蹋我的耳朵。」恭師回答：「人能弘道，非道弘人，怎麼可以因人廢言呢？」接著就在庭院簡單布置了一個壇場，然後繞壇數匝後頂禮陞座。遠師只得乖乖坐在下面聆聽。

當恭師開始誦念經題的時候，不可思議的情形發生了！天上開始飄下很香的味道，然後又聽到天上有音樂在彈奏，接著又飄下了四種花朵，霏霏滿地。等到誦完此經，音樂、香味、花朵才全部停止。

等恭師下座，遠師淚流滿面，接足頂禮，很慚愧地說：「我這一身臭皮囊，竟敢奢談佛理，真慚愧，請教誨我吧！」這時候，恭師回答說這不是他的能力，而是諸佛菩薩給他的加持，然後翩然離開，從此渺無音訊。

慧恭法師三十年來就只有修持《觀世音經》，但卻感得天人以香花、天樂、異香供養，這不就是三十年來養深積厚的功夫。

大自然的生長何嘗不是要養深積厚。據說竹子的成長，前面的四年，只有長出三、

◆ 養深積厚，其志必大。

四公分，但接下來就不得了，第五年開始，它每天以三十公分的速度成長，六個星期的時間可以長到十五公尺左右的高度。

為何竹子四年才長出三、四公分？因為在這段期間，它將自己的根莖，在土壤裡蔓延了數百公尺，厚實了自己的根基、吸收了足夠的養分，日後碰到風吹雨打，自然能悍然屹立在天地之間。難怪台諺說：「樹頭徛予在，毋驚樹尾做風颱。」大師在《佛光菜根譚》也說：「根深本固，其果必茂；淵源流長，其水必清；登高遠眺，其境必寬；養深積厚，其志必大。」

（三）奮發向上

我們除了「養深積厚」，還要尋找機會「奮發向上」，如此才有成功一天。

1.乞丐也有出頭天

二〇〇五年十二月二十六日的《人間福報》，刊登了一篇報導，主題是「歌壇乞芭——乞丐歌手，唱歌奪冠出頭天」。內容敘述孟加拉舉行全國首屆歌唱比賽，吸引七千人參加，二十歲乞丐諾洛克．巴布擊敗所有參賽者，贏得最高榮耀。為何他可以擊敗眾多職業歌手獲得冠軍呢？

巴布出身貧苦人家，父親在他九歲的時候拋棄了他們，母親身體不好，他只好到火車上乞討，撫養弟弟、媽媽跟阿嬤，也因此開啟了巴布邊乞討邊唱歌的因緣。

他第一天在火車上唱歌就受到歡迎，一名乘客掏出一張大鈔給他，大家拉住他唱了又唱，不讓他轉到下一個車箱。就這樣巴布一面乞討，一面唱歌維持生計。到了二十歲那一年，他聽說有辦歌唱比賽，就抱著嘗試的心態報名參加，但他的乞討生活仍然不變，經過半年多的層層挑戰，終於突破重圍，獲得冠軍。

消息傳回家鄉賈馬普城，市民上街遊行慶祝，分發糖果，有些人熱淚盈眶，因為他們從沒想到窮人也有出頭的一天。巴布這種「奮發向上」的過程，不就是「三陽和諧，春來福到」嗎？

2.巴西如來之子計畫

大家應該都有聽過「巴西嘉年華會」吧？巴西的嘉年華會看起來是很熱鬧、熱情，但是也引發了許多社會問題。比如每一年嘉年華會過後，接下來的第二年，會有好幾千名不知道父親的嬰兒誕生，這些人大部分都住在貧民窟，所以長大後，往往會從事不正當的職業。

二〇〇三年，巴西如來寺的覺誠法師，遵奉星雲大師指示，發起「巴西如來之子扶貧教養計畫」。秉持大師以教育翻轉生命的理念，照顧這一群孩子，如今此計畫實施十多年了，當時的小朋友已經有人大學畢業。

◆ 菲列皮（右二）與如來之子足球隊，春節回到佛光山當義工。

二〇一五年春天，二十二歲的菲列皮（Felipe Galdino），在眾人祝福下從Europan 夜間部大學體育系畢業，他是「如來之子」的第一個大學畢業生，也是菲列皮家族中第一個大學畢業的人。他是「如來之子」的成功範例，他是家族的榮耀，也是侄輩學習的榜樣，甚至親戚因為他的好表現，將孩子送來當「如來之子」。

菲列皮是一個特殊的孩子，他出生在聖保羅柯蒂雅（Cotia）貧民區的單親家庭，舅舅及表兄都是毒販，親人中有八、九個男生，只有他沒有坐過牢。他很慶幸十一歲就加入「如來之子」，讓他懂得分辨是非善惡、懂得潔身自愛、懂得拒絕誘惑。為了感恩，他回到巴西如來寺擔任足球教練，並表示，之所以能有今天的成就，是大師的「如來之子扶貧教養計畫」改變了他的一生。

蓮花出汙泥而不染，菲列皮的「奮發向上」，讓我們對大師「以教育培養人才」的理念，更是佩服不已！

二〇〇八年，大師成立「公益信託星雲大師教育基金」，除了照

◆ 大師與南非天龍隊青年接心

顧巴西「如來之子」，還支助南非南華寺「天龍隊」、菲律賓「宿霧藝術學院」；推動「好苗子計畫」，鼓勵偏鄉、清寒、弱勢之優秀學生順利就學，為社會培育優秀人才。另外，成立「三好體育協會」，培養優秀的籃球、棒球、體操選手。目的就是希望以教育翻轉青年學子的生命。

受到栽培的莘莘學子，如何活出自信、活出尊嚴、活出自己的一片天，就要靠自己「奮發向上」了。

以上兩則「奮發向上」的事例，令人振奮，讓我想到有一首童軍團康歌曲，其內容可以激勵人心，當我們累了、撐不下去了，唱唱此歌吧：

扛著包袱，跋山涉水，努力往上爬，
滿身大汗，四肢酸軟，請你莫害怕；
天使不敢走的道路，傻子一路跑過去，
立定志向，一個心願，就是一條途徑。

（四）持盈保泰

當人們經歷過前面的三個階段，也從谷底攀爬起來，正處於飛黃騰達的得意高峰，記得要更謙虛、不驕縱，才能持盈保泰，否則好不容易得到的成果，很容易會從我們手中溜走。我們可以從許多人，突然獲得大獎，最後卻身敗名裂得到印證——

英國的麥基．卡羅爾本，本來是一個清理垃圾的工人，二〇〇二年中了彩票九百七十萬英鎊。結果在八年之內敗光家產、妻離子散，最後只能做苦力工作，而且靠救濟金生活。

美國的愛德華茲，曾因持槍搶劫坐牢十多年。出獄後，好運來到，他在二〇〇一年竟然獲得相當於八億元新台幣的威力彩頭獎。他得了獎金後，花天酒地、隨意揮霍，結果，五年內敗光所有的錢財，於二〇一三年在安養院孤獨以終。

英國的凱莉．羅傑斯，二〇〇三年幸運中了一百八十七萬英鎊的大獎，當時十六歲的她，成為最年輕的彩票得主，卻在十年之內敗光所有的獎金，並染上許多惡習，後來在接受媒體採訪時表示「中獎毀了我的生活」。這給了凱莉很大的教訓，如今她擔任看護，認真工作，儘管生活需要精打細算，但她覺得自己比以前快樂。

以上三個例子說明了持盈保泰的重要，大師也常告訴我們「有錢是福報，會用錢才是智慧」，當我們得到了意外之財，要學習如何運用這一筆錢，否則有一天會坐吃山空的。所以大師《佛光菜根譚》如是說：「福，如銀行存款，除了惜福，更要培福；福，如良田種子，除了培福，更要修福。」

接下來，要跟大家分享的是，一個人如果能夠持盈保泰，對自己、對子孫是非常重要的。

1.范仲淹家族，八百年興盛不衰

提到北宋名臣范仲淹，相信大家會想到〈岳陽樓記〉裡面「先天下之憂而憂，後天下之樂而樂」的名句，也會想到《古文觀止．義田記》，但為何他會有這樣的慈心悲願呢？而且他所創建的義莊延續八百多年，讓范氏子孫免於飢寒交迫，這是值得我們深思研究的地方。

范仲淹生於宋太宗端拱二年（九八九年），隔年父親在仕途中不幸往生，母親帶他扶棺回蘇州范氏家族安葬，卻被族人嫌棄，幸賴僧人接濟，才能苟活，母親無奈之下只得改嫁，因而更是備受歧視，但也養成他自強不息、堅毅不拔的性格。

范仲淹成年後辭別母親，拜在大儒戚同文的門下，因為經濟拮据，暫住淄州鄒平縣長白山醴泉寺（今山東濱州一帶），每天只煮一鍋粥，放涼切成四份，早晚各吃兩份，並配以自己醃製的醬菜，如此三年，真是人不堪其憂，「淹」也不改其樂，此乃「斷齏畫粥」的典故。

雖然處在貧困中，但范仲淹卻做到「貧賤不能移」。有一次，他發現自己居住的僧舍中藏著一甕白銀，就是拿走也不會被發現，但他卻就地掩埋，當作沒有發生。後來他做了大官，寺裡僧人向他化緣修寺，他寫了一封信說明藏白銀的位置，結果真的在他原來住的僧寮中找到了這些白銀。僧眾見到這種情況，紛紛讚揚說，范仲淹為官，百姓就可以放心了。

范仲淹尚未富貴顯達前，就立志要設置義田，幫助貧困的鄉親，卻力有未逮，但此心願卻沒有忘失。三十多年後，他擔任招討使（類似軍事指揮官），參與朝廷大政，才有足夠的俸祿來達成願望。他在蘇州家鄉購置了一千畝的良田，做為范氏宗族的「義田」，專門用來救濟親族中貧困，或是沒有謀生能力之人，不但自訂規則，且選擇族中年長賢能的人，掌管財物及資金的調配，如果遇到嫁女、娶妻、生病、喪葬都會給予資助。

當時范氏族人只有九十餘人在義田周圍聚集，後來人越來越多，逐漸形成一個村落，後來裡面還有「義宅」、「義學」，人們統稱為「范氏義莊」。范仲淹往生後，其子仍繼續堅持此理念，位居宰相的范純仁、尚書右丞范純禮，獻出自己的俸祿，並完善當初父親訂下的十三則規條。歷代子孫也不遑多讓，延續先祖的大悲大愛，讓此義舉一直延續到清朝宣統年間，共八百多年，「義田」也達到五千三百畝的規模。

范仲淹除了有「義田」善舉，其心地純良、大公無私、育子之道亦值得效法。范仲淹曾在蘇州置產，準備養老，有風水先生來看，認為此地風水極佳，後代會出公卿。沒想到范仲淹聽完分析，做了一個一般人覺得匪夷所思的決定：既然此地這麼好，怎可以讓我的子孫獨享，應該讓青年才俊都有機會同沾福氣。便捐出住宅改成學堂，讓蘇州學子將來都能顯達富貴。

有一天范仲淹在商丘（今河南商丘），吩咐次子范純仁去蘇州買麥子運回。在經過丹陽（今江蘇鎮江）的時候，范純仁遇到了父親的好友石曼卿，得知他遭逢喪親之痛，卻無錢扶柩返鄉，於是自行作主將整船的麥子全部送給了石曼卿，籌措還鄉的路資及安葬的費用。

范純仁回到家後，向父親敘述石曼卿落難之事，等不及兒子說完，范仲淹馬上責問：「為什麼不把船和麥子全部送給他呢？」范純仁回答已經全部送了，范仲淹對兒子的做法連連稱好。

我們常說「富不過三代」，但范氏家族卻可以延續八百多年不衰，不得不說和范仲淹的家風有很大關係。他的刻苦自勵、清廉無貪、教子有方、不念舊惡之德行，令人敬佩；而以德報怨，散盡家財照顧范氏家族的寬闊胸襟、菩薩心腸更令人動容！

范仲淹自己不就是「先天下之憂而憂，後天下之樂而樂」的實踐者嗎？也可說是

「做好事、說好話、存好心」，以及「給人信心、給人歡喜、給人希望、給人方便」的表率！相信就是這些原因，讓這個家族得以「持盈保泰」綿延不絕。

2. 河洛康家的「留有餘」

《荀子．宥坐》記錄了數則孔子的教化言行，其中有一則描述了欹（ㄑㄧ）器這種特殊的器物。此器有何作用呢？

有一次，孔子帶領弟子到魯桓公的廟參觀，看見一只傾斜的容器，乃問守廟的人說：「這是什麼器皿呢？」守廟的人說：「這是放在座位旁的器皿，用來警惕自己的言行。」

孔子說：「我曾聽說這種器皿空著的時候是傾斜的，適度注水進去就會端正，水裝得太滿就會傾倒。英明的君主將此器皿放在自己的右側，時常警惕自己，要戒慎恐懼，不可放逸。」接著，回頭對弟子說：「試著放水進去看看。」有一個弟子將水灌入，果然水適中時就端正了，裝滿水就翻覆了。孔子很感嘆地說：「對呀！所有的事物，哪有滿而不翻覆的道理呢？」

子路上前問道：「請問老師，有什麼辦法能夠保持滿而不翻覆呢？」孔子回答：「有聰明智慧的人，能保持愚鈍的外表，不顯鋒芒；有功勞蓋天的人，能表現退讓的態度，不會驕縱；有勇猛威武的人，能以怯懦的外表示人，不會逞強；有萬貫家產，能謙虛處世，不會誇耀。這就是所謂的『損之又損』的道理啊！」

孔子的這一番話，和《尚書．大禹謨》裡「滿招損，謙受益」的道理是相同的。所以「宥坐之器」，對我們一般人來說，太有啟發性了。一個人不學無術，腹中空空，縱然有機會攀爬上高位，但最後也會被看成沐猴而冠，因為你德不配位。

因此我們要不斷學習、不斷努力，除了學問要好、品德也要好，才能在人生路上站得穩、立得直。而一旦功成名就，亦不可以自滿，還要精益求精、奮發向上、廣結善緣、行善助人，否則就會前功盡棄，最後傾倒。小至個人、家庭的前途，大至社會、國家的治理，如想保持長久不衰，「虛則欹，中則正，滿則覆」的看法，就是一種「持盈保泰」啊！

河南有一個家族叫康百萬，其家族繁榮興盛有四百多年，從明朝洪武年間到民國，其原因何在？聽說和「留餘」牌匾的家訓有關，裡面寫著：「留有餘，不盡之巧以還造化；留有餘，不盡之祿以還朝廷；留有餘，不盡之財以還百姓；留有餘，不盡之福以還子孫。」

此牌匾是摘自南宋王伯大（留耕道人）的〈四留銘〉，其意在說，當你擁有無限的聰明巧思，不要使盡，要留給天地造化仍保有一方淨土；當你擁有用不完的俸祿，不要花光，要歸還給朝廷充實國庫；當你擁有用不盡的財產，不會私藏，要取之社會、用之社會，和鄉里百姓分享；當你擁有用不盡的福報因緣，不會用盡，要留給子孫仍然可以延續福報。也就是說凡事要取之有度、用之有節，適可而止。留給自然、國家、社會、百姓、子孫都有一個餘地，也是為自己留下餘地啊！這就是「留有餘」的意思，也是「持盈保泰」的見解。

五、結語

以上乃我揣度星雲大師在羊年提出「三陽和諧」，而不說「三陽開泰」的淺見，就是希望大家在面臨難關的時候，要能「提放自如」、「養深積厚」、「奮發向上」，繼續堅持下去，不要退卻，終有一天，相信你能夠「冬去春來，萬象更新」。

如果我們仍想保有「三陽開泰」的成果，人生路上我們要「慈悲柔和」，與人「和諧相處」，不可驕縱自滿、隨意揮霍、不思上進、不去結緣，否則好不容易獲得的甜美果實，一下子就會灰飛煙滅。因而我們要懂得「持盈保泰」，此時才能做到「三陽和諧」，保持長盛不衰。以此結語和大家共同勉勵。

◆「持盈保泰」，才能「三陽和諧」。

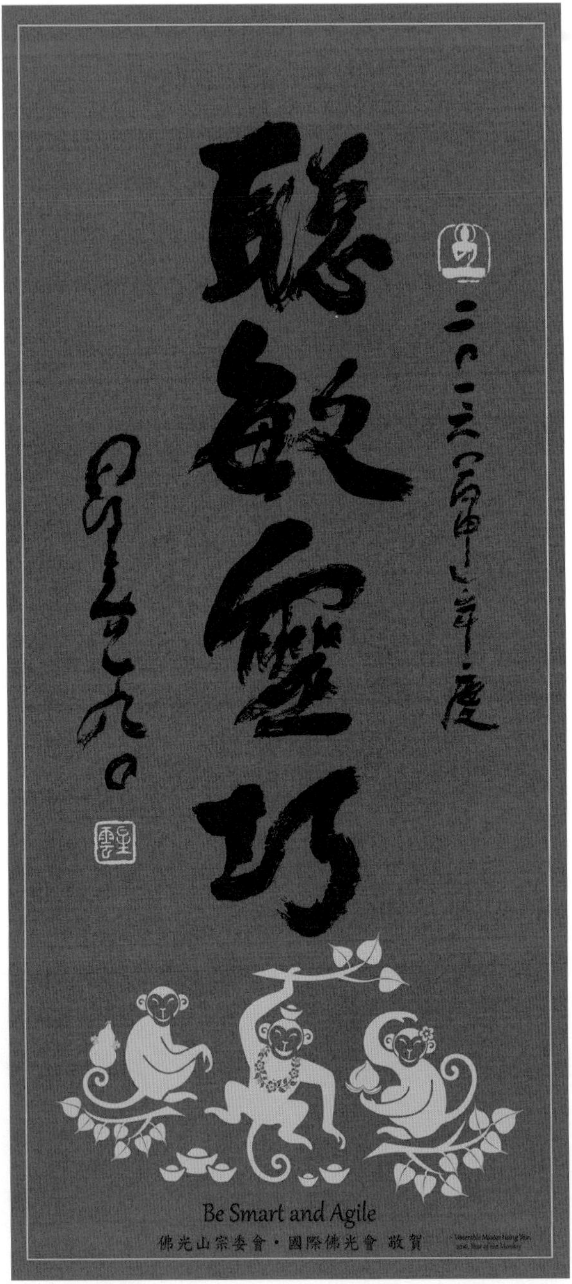
聰敏靈巧
Be Smart and Agile
佛光山宗委會・國際佛光會 敬賀

聰敏靈巧——

發揮自心自性，會動、會想，做事就能圓滿。

給人歡喜，是人間很重要的布施。
除了有「聰敏靈巧」，
待人接物要謙虛有禮，
處事態度要圓融周遍。
如何實踐呢？
我想〈十修歌〉，
就是最好的修行法門。

聰敏靈巧，帶來人間歡喜

八

二〇一六年是猴年，星雲大師送給大家的新春賀詞是「聰敏靈巧」。

大師在一月一日《人間福報》專文闡述道：「各位讀者，平安吉祥！二〇一六年在中國習俗所謂的『十二生肖』裡，屬於猴年。猴子很聰敏、靈巧，我們經常看到猴子玩把戲，都是這樣變、那樣變，花樣百出，給人歡喜一笑。給人歡喜是人間很重要的布施。所以這一年，希望世界上的有緣人，都能聰敏靈巧，像孫悟空一樣上天入地，所謂『神通廣大』、『法力無邊』；希望各位有緣人，都能發揮自心自性裡的力量，像猴子一樣會動、會想，把種種的靈巧發揮出來，做人就有禮貌，做事就能圓滿，將來一切平安順利。非常祝福你們！」

◆ 猴子聰敏、靈巧，玩把戲花樣百出，給人歡喜。

根據大師的這一段開示，我訂下「聰敏靈巧，帶來人間歡喜」的講題，並提出四點淺見：

一、運用聰敏，發揮靈巧。
二、神通廣大，服務大眾。
三、待人有禮，處事圓滿。
四、開發智慧，人間歡喜。

一、運用聰敏，發揮靈巧

（一）以聰敏靈巧帶來歡喜

大師在賀詞說：「猴子很聰敏、靈巧，我們經常看到猴子玩把戲，都是這樣變、那樣變，花樣百出，給人歡喜一笑。給人歡喜是人間很重要的布施。」

白雲守端禪師年輕的時候在楊岐方會禪師那裡參禪，但卻不能覺悟，禪師非常掛念。一日禪師問守端：「你的剃度師父是誰啊？」答曰：「家師是茶陵郁和尚。」禪師接著說：「我聽說大和尚過橋時跌了一跤，從此大悟，你記得那首開悟偈語嗎？」守端恭敬回答：「我有明珠一顆，久被塵勞關鎖，今朝塵盡光生，照破山河萬朵。」方會聽後大笑離去。這一笑竟然讓守端徹夜未眠，隔天早上，就到法堂請教禪師笑的原因。

禪師問：「昨天你有看到我們寺廟前耍猴戲的小丑嗎？」守端回說看到了。此時禪師說：「你在某方面實在不如一個小丑。」「為什麼呢？請禪師開示。」守端不解地問道。禪師說：「小丑的種種動作，不就是希望大家開懷大笑，我才一笑，你就吃不下飯、睡不著覺，可見你連一個小丑都不如啊！」白雲守端豁然大悟。

從這一則公案，我們可以了解到白雲守端禪師因為個性拘謹，沒有禪者活潑灑脫的性格，所以難和楊岐方會禪師的禪風相應，於是便用耍猴戲的小丑，博君一笑的方式點撥他，讓守端知道，禪是要懂得運用「聰敏靈巧」的智慧，來布施歡喜給人。

就像老萊子「戲彩娛親」，他的初發心是希望討父母歡心，所以他穿著五彩斑爛的衣服唱歌跳舞，人們不會覺得他幼稚膚淺，反而覺得他的孝心令人敬佩！這也是另類的「示教利喜」啊！

（二）大師的性格給人歡喜

佛陀紀念館是在二〇一一年十二月二十五日開光落成，接著下來每年都有千萬人次來到佛館，他的祕訣在哪裡？

就以佛館整體建築來說吧，從佛館的大門一直延伸到佛光樓，約有一公里，但落差有三十公尺，近十層樓高，這麼長的距離，又是上坡路，一般人可能望而卻步，更何況老人家及行動不方便的人。

所以在建築的時候，星雲大師坐著輪椅親自指導，只要發現輪椅不能暢通無阻，都會要求改成無障礙步道。同時在這麼長的路程中，要求在中途建造兩座大廁所，給有需要的人使用。

◆ 大師為佛館規劃無障礙設計，長者、行動不便的人都可以歡喜參觀。

記得有一年，漸凍人協會說要來佛館參觀，因為我們的無障礙廁所夠大，讓漸凍人方便進出。要知道這是大師坐著輪椅，親自測試出來的空間，大師這一分慈悲心讓人動容啊！

除了中軸線的成佛大道是無障礙步道，連接八塔的南北長廊走道也同樣給人方便，又因距離很長，大師擔心信徒遊客走累了沒有地方休息，特別在兩旁放置許多石頭椅子，甚至在每一座塔的後方都開一扇門，讓大家隨時都可以進去參觀休息。

而石頭椅子的設計安排，都蘊含

神來一筆的靈巧慧心。我們常看到風景區，總有部分遊客躺在椅子上呼呼大睡，也不擔心別人的異樣眼光，糟蹋了一個漂亮美好的地方。大師深知此中亂象，便在石頭下面挖個洞，將之放在短鐵柱的上面，要推也推不動，但要搬走的時候，又可以用機械移動。加上每張石頭椅子的距離約一公尺，因而想躺下去也不可能了，真正達到可以暫時休息，又保持道場莊嚴的氛圍。

還有長廊的兩側牆壁刻滿了贊助者的功德芳名，同時穿插七十五幅《佛光菜根譚》，由六十一位名書法家，以各種書法體例，將大師的智慧詞句呈現出來。優美的書法字體與發人省思的文句，吸引來訪遊客佇足欣賞，也有遊客紛紛拿起相機、手機拍照記錄，做為人生處世的金玉良言。大師這種富有人文素養的設計，真是令人讚歎啊！

其實大師這種「給人歡喜」的性格，不是建佛館的時候才顯現出來。一九八一年大師在佛光山建造一座具有文化教育性質的「淨土洞窟」，興建之初，有人問大師：「為什麼不建十八層地獄，讓人看了心生恐懼，從此不敢做壞事？」大師回答道：「極樂淨土的殊勝美好，讓人看了自然升起嚮往清淨彼國的心，不是更積極嗎？」這是大師建淨土洞窟的緣由。因為，大師推動的人間佛教是在「現證法喜安樂」，是在給人希望、光明，不是給人恐懼、害怕。早年建築的理念如此，到了蓋佛陀紀念館也是同樣的思想理念。

大師「給人歡喜」的性格，佛光山的僧信四眾，多少有學到一點皮毛，所以不論你到全世界哪個道場，客往人來，都會發現僧信四眾稟承著「來時歡迎、去時相送」的信條，甚至高唱著〈歡迎歌〉迎接客人的到來，離開的時候也會唱〈佛光照耀著你〉，感謝您的普照放光。因為我們要「示教利喜」，要散播快樂。

〈歡迎歌〉

讓我們拍手熱烈歡迎你，歡迎你到佛光山，
看你親切又和藹，我們的花兒為你開。
歡迎歡迎歡迎你，歡迎你到佛光山，
歡迎歡迎歡迎你，歡迎你到佛光山。

〈佛光照耀著你〉

佛光照耀著你，佛光照耀著你，
祝福你健康，祝福你快樂，
佛光照耀著你！

二、神通廣大，服務大眾

另一段新春賀詞如此說：「所以這一年，希望我們所有的佛光人、世界上的有緣人，都能聰敏靈巧，像孫悟空一樣上天入地，所謂『神通廣大』、『法力無邊』。」這背後含義是什麼呢？

（一）菩薩行者要廣學多聞

◆「聰敏靈巧」主燈秀，以《西遊記》為雛型。

二〇一六年「佛光山春節平安燈法會」，在後山花園特別製作「聰敏靈巧」主燈秀，以《西遊記》故事為背景，製作高十八米、寬二十一米的花燈，以旋轉方式呈現孫悟空從誕生、稱王，到降魔、成道等過程。以此勉勵大眾運用聰敏靈巧的智慧，發揮慈悲的心願救度眾生，幫助所有人脫離苦惱，得到真正的歡喜與快樂。

《西遊記》是中國四大名著之一，敘述東勝身洲傲來國東方海外孤島叫「花果山」，山頂上有一顆靈石，從盤古開天以來吸收日月精華，不知道過了多少歲月，突然有一天這顆靈石崩裂，裡面竟然跑出一隻猴子來，此猴就是我們熟知的孫悟空。

石猴原先在花果山水濂洞當猴王，和猴群過著逍遙快樂的生活。有一天，猴王突然面有悲悽憂鬱之色，眾猴就詢問什麼事情讓大王擔心。猴王說，萬一我老了，被閻羅王抓走了怎麼辦？有一隻比較有見識的老猴說：「大王！凡夫之人才會被閻王抓走，但若你成仙、成佛，閻王就抓不到你的。」於是，石猴下定決心要去尋師訪道，學習長生不老之術，回來後再教大家，讓大家都可以長生不老，永遠過著幸福快樂的日子。

從這裡可以發現，《西遊記》作者吳承恩應該略懂佛理，因為此段說明了佛教「三苦」中的行苦。石猴在花果山過著逍遙快樂的日子，沒有感受到身心苦樂不自在的變化，但卻感受到世間無常、遷流不息不得安定的行苦。

石猴尋師訪道的路程，從東勝身洲走到南贍部洲，又從南贍部洲走到西牛貨洲，經一位樵夫打扮的老者指引，拜在菩提老祖的門下，取名孫悟空。

此段描述又有一些佛法，佛教有所謂的四大部洲，除了前面所說的三個洲以外，還有一個洲叫做北俱盧洲。為何石猴沒有走到此地？除了是順時針的行走外，此洲是佛教所說「八難」中的一難。因為住在此地的人壽命很長，生活優渥富庶，不會生病、也不會夭折，因此不會想去聽聞佛法，發出離心修行，當然就輪迴路長了。

孫悟空在祖師的門下度過七年的光陰，一日祖師問悟空要學什麼？悟空說要學長生不老之術，祖師要他改學其他法門，但悟空執意要學長生不老，結果惹得菩提老祖生氣，拿起戒尺朝他的頭打了三下，就離開了。

其他師兄弟驚恐不已，責怪悟空的不是，要他去向師父道歉，悟空不以為意，他知道這是師父給他的暗示。所以，孫悟空就在半夜三更跑去找菩提老祖，求師父教他長生不老之術，菩提老祖說長生不老之術仍不能躲過三大災（火災、水災、風災），乃教他七十二變，以及「一個筋斗可以翻十萬八千里」的筋斗雲法術，同時囑咐不可以對外炫耀。

但有一天，孫悟空的猴性難改，情不自禁的在師兄弟面前賣弄本領、變化神通，結果被菩提老祖看到，就將他逐出師門。就這樣孫悟空拜別了菩提老祖，回到了花果山。

◆ 孫悟空的七十二變，象徵菩薩行者應廣學多聞。

這一段描述也是和佛教有關。「敲三下」不就是惠能大師受弘忍大師點化的公案？而顯現神通、被逐出師門，則與賓頭盧尊者炫耀神通，被佛陀懲罰不准入涅槃的典故相似。

接著孫悟空大鬧天宮、跟隨唐三藏西天取經，返回大唐中原，這裡就不特別敘述。但從《西遊記》後面的章節，發現唐三藏師徒，日後碰到九九八十一難，都能夠關關難過關關過，孫悟空的七十二變起了很重要的關鍵。此段故事，也在告訴我們菩薩行者，要廣學多聞，將來弘法路上一定有很大的幫助。

所以《瑜伽師地論》說五明是「一切菩薩正所應求」，就是在告訴我們，要成為菩薩行者，必須要通曉五明，何謂五明？聲明、工巧明、醫明、因明、內明。

《菩提道次第廣論》卷十三，引《莊嚴經論》云：「若不勤學五明處，聖亦難證一切智。故為調伏及攝他，并自悟故而勤學。」前兩句在說，如果不精進勤學五明，縱然是大乘菩薩行者，也難以證得聲聞緣覺的「一切智」，何況證得大乘菩薩的「道種智」，更別說證得佛果位的「一切種智」了。所以要調伏自己的身心，甚至要攝受眾生，一個菩薩行者，更需要學習「五明」。

《菩提道次第廣論》又說：「謂為調伏未信聖教者故，應求聲明及因明處。為欲饒益已信者故，應求工巧及醫方明。為自悟故，應求內明。此是別義。又此一切皆為成佛故求，是為通義。」

此段經論在說，為了調伏沒有信仰的人，菩薩行者應該學習聲明跟因明。如馬鳴比丘作戲曲〈賴吒和羅〉，度化五百位王子出家；唄比丘唱誦梵唄，波斯匿王軍隊馬匹都為之感動，殺心盡除。為了利益有信仰的人，應該要學工巧明及醫方明。如鑑真大師治好光明皇太后的疑難雜症，不但成就了唐招提寺，也讓佛教在日本更易推廣。為了明心見性，見性成佛，我們應該要學內明。

以上是針對學習「五明」的個別含義，且可以得到的成果來說明。但對整體而言，學習「五明」的最終目的就是要成佛。所以學習「五明」對一個出家人是很重要的，就以「日本文化之父」鑑真大師踐履「五明」的事蹟來說吧。

（二）「日本文化之父」鑑真大師

星雲大師《佛教叢書．弟子．日本律宗始祖鑑真大師》一文提到：「鑑真律師（六八七～七六三年），俗姓淳于，為齊辯士髡的後裔，出生於揚州江陽縣。鑑真深具佛緣，十四歲隨父入大雲寺，見佛像，感動夙心，經父親允許，禮智滿禪師出家為沙彌，專研『五明學』，旁及曆算、工藝。」所以鑑真大師可以將中華文化傳播到日本，且被稱為「日本文化之父」是有來由的。

1. 鑑真大師會「聲明」

星雲大師在揚州「鑑真圖書館」開設「揚州講壇」，有一年請錢文忠教授講「鑑真東渡」。錢教授提到，鑑真大師經六次東渡，終於來到日本，除了為天皇、皇后、皇太子及高級官員傳授菩薩戒外，也在天皇頒賜的土地上興建「唐招提寺」。錢教授認為，「鑑真大師用唐音宣說佛法，這對日語中始終保存唐音發揮了重大作用。」現在的日本，文字上仍保有唐音的內容，有時候慢慢聆聽，還是可以猜出意思，因為裡面有很多漢字。

2. 鑑真大師會「工巧明」

相信到過日本奈良唐招提寺，一定會被它的古樸典雅、恬靜祥和、莊嚴氛圍所吸引，這是鑑真大師仿造唐朝的佛教寺院，帶領弟子設計、修建完成的，建成以後，同時也影響了以後日本佛教寺院的建築。

另外，鑑真大師也帶領了一批技藝高超的能工巧匠東渡，使得日本文化、藝術全盤唐化。尤其弟子思托所塑造的鑑真大師坐像，更讓人感受到鑑真大師的堅韌不拔、剛強

◆ 奈良唐招提寺為仿唐建築

意志，沉靜厚實的性格。所以中國著名建築史學家梁思成說：「對於中國唐代建築的研究來說，沒有比奈良唐招提寺金堂更好的借鑑了。」

由於唐招提寺如此原汁原味地保留唐朝古風，二次世界大戰的時候，美國要轟炸日本，梁思成還向美軍提出要求，不要轟炸奈良和京都，也因此梁思成飽受非議，甚至有人以此事指認他是漢奸，而梁思成也沒有辯解。

要知道梁思成是很愛國的，他的弟弟和小舅子都死於抗日戰場，他心中的痛又有誰可以了解呢？國仇家恨固然要報，但為了保衛人類共同遺產，寧可受到批判，也要對得起自己的良心、自己的專業。所以日本《朝日新聞》以「古都的恩人」尊崇梁思成。

3. 鑑真大師會「醫明」

〈日本律宗始祖鑑真大師〉一文提到：「鑑真精通病理醫學，尤擅草本，東渡所攜漢藥藥方為日本醫藥開創新領域，因此日本醫藥界尊鑑真為始祖，至今仍有《鑑真上人祕方》一卷流傳於世。」現今日本奈良東大寺正倉院，收藏有六十種藥材，據學者考證，這些藥物有的是鑑真大師帶去的，或是同時代從中國運去的。

據傳當時光明皇太后生病，宮中群醫束手無策，最後是鑑真大師將皇太后治癒，所以皇室就把「備前國水田一百町」賜給了鑑真大師，唐招提寺就是建造於此地。

隋唐年間，雖然中國醫藥知識及醫藥典籍陸續傳入日本，但日本人對於鑑別藥物品種的真偽、規格、好壞仍是經驗不足。鑑真大師抵達日本後，儘管雙目失明，但是，他利用鼻子的嗅覺、舌頭的味覺、手指的觸覺，將有關藥物的知識一點一滴地傳授給日本人，矯正了過去不少的錯誤。

對於藥物的收藏、炮製、使用、配伍（不同藥物配合使用）等知識，鑑真大師也毫無保留地傳授給日本人。可知鑑真大師在「醫方明」的深入嫻熟，所以十四世紀以前，日本醫界把鑑真大師奉為醫藥祖師，直到德川時代，日本藥袋上還貼有鑑真大師的圖像，可見其影響之深。

4.鑑真大師會「內明」、「因明」

鑑真大師的「內明」、「因明」基礎是相當深厚的。於參學期間，向「天下四百餘州受戒之主」道岸律師求受菩薩戒，並從其學律、醫學與建築，深得旨趣；於長安實際寺依恆景律師受具足戒；至荊州玉泉寺，研究天台止觀；又從融濟律師研習道宣律師的《四分律行事鈔》、《四分律羯磨疏》、《量處輕重儀》；再從義威、智全、大亮等律師深究相部律宗法礪的《四分律疏》。

從以上的參學歷程，我們可以看出鑑真大師已通達三藏之學，不但佛學造詣非凡，也遍學百工技藝。從長安返回揚州，於江淮地區弘揚律學，四方景從。先後主持龍興寺、大明寺法務，廣開法筵，並在寺中附設慈善醫療機構，自製各種散丸膏丹，救濟孤苦貧民。從種種事蹟能知道，鑑真大師已經是一位悲智雙運的菩薩高僧了。

今天鑑真大師能夠被稱為「日本文化之父」，又受到日本朝野的敬重，甚至一千多年後的佛弟子都在稱揚讚頌，相信和鑑真大師嫻熟「五明」，運用「五明」，還有「為大法也，何惜身命」的高尚情操，有密切關係。

三、待人有禮，處事圓滿

星雲大師在賀詞說：「希望各位有緣人，都能發揮自心自性裡的力量，像猴子一樣會動、會想，把種種的靈巧發揮出來，做人就有禮貌，做事就能圓滿，將來一切平安順利。非常祝福你們！」

這一段話，其實在告訴大家，除了有「聰敏靈巧」，還有待人接物要謙虛有禮、處事態度要圓融周遍，如此才能帶來人間歡喜，平安順利。我們如何去實踐呢？

一般佛教徒，認為佛教的修行就是參禪打坐、誦經拜佛、念佛靜心、朝山巡禮、禮佛拜懺、參加法會、聽經閱藏、受持戒法才是修持，如此方能證悟佛道。這一些當然都是重要因素，但太虛大師曾講過：「仰止唯佛陀，完成在人格，人成即佛成，是名真現實。」從此句話可以明白，修行重點在把人做好，如此我們就離佛道越來越近了。

如何把人做好了呢？我想大師的〈十修歌〉就是最好的修行法門。

一修人我不計較，二修彼此不比較

我們都知道人生有四苦：老、病、死、生，但時代的變遷，人生除了此四苦外，還有一種苦，那就是「比較苦」。所謂「人比人氣死人」，為何我們這麼在意呢？因為我們忘了世間一切都有因緣的存在，一般凡夫難以窺透，所以才會在意！因而清．金纓《格言聯璧》說「欲除煩惱先忘我，各有因緣莫羨人」，如此生活中才會安然自在。

三修處事有禮貌，四修見人要微笑

古德云：「佛國好景絕塵埃，煙霧重重卻又開；若見人我關係處，一花一葉一如來。」能夠妥善處理人我關係，是我們一生很重要的功課。如何做到？大師曾說過：「初見三句話，相逢一微笑，爭執一回合，讚美要適當。」則你我他都能融和共處。

五修吃虧不要緊，六修待人要厚道

有一位教授，帶著小兒子到市場去買水果，在挑選水果的時候，小販很不耐煩的說道，喂！你們到底買不買啊！教授很客氣的說我們要買，並問多少錢？想不到小販竟然說，這個很貴，你買得起嗎？「買得起！買得起！」教授依然禮貌的回答，並把錢遞給小販。

回家路上，小兒子一路上悶悶不樂，快到家的時候，實在忍不住便問父親，您是一個教授，今天受到小販如此侮辱，您一點都不生氣嗎？

教授正色道：「待人有理、謙虛、禮貌是我的水準；無禮、勢利是小販的水準，我不能因為一個粗魯的人，而破壞我自己的水準。」

所以《佛光菜根譚》說：「得理而能饒人，是謂厚道，厚道則路寬；無理而又損人，是謂霸道，霸道則路窄。」

七修心內無煩惱，八修口中多說好

有位老師要同學當記者，採訪自己的父親，了解他的夢想是什麼？如何實現？結果父親告訴孩子「吃得下飯、睡得著覺、笑得出來」。這個願望讓孩子大驚失色：「老師一定會認為我在搗蛋！」但沒有想到老師卻給了高分。為什麼？因為人到了中年，夫妻的關係越來越淡，工作越來越重，經濟壓力越來越大，不順心的事情越來越多……，所以「吃得下飯、睡得著覺、笑得出來」反而變成一種可貴的奢求。真的要做到「七修心內無煩惱」不簡單啊！

大師指導我們「不要把煩惱帶到床上，不要把怨恨留到明天。」尤其大家的生活都不容易，所以我們不要吝嗇讚美、鼓勵他人，大家一起做好事、說好話、存好心，不但是一種無上的布施，也是圓融人際關係的潤滑劑，這不就是「八修口中多說好」？

◆ 心如大海無邊際，廣植淨蓮養身心。

九修所交皆君子，十修大家成佛道

此段在告訴我們親近善知識的重要性，所謂「近朱者赤，近墨者黑」。極樂淨土也是「諸上善人聚會一處」，大家共發「四弘誓願」，要救度眾生、要淨化心靈、要廣學多聞、要同證佛果。當我們發了如此大願，已把眾生融為一體，還會有什麼人我問題呢？

若是人人能十修，佛國淨土樂逍遙

從以上的說明，如果人人都能按照〈十修歌〉來作為個人修行的密行，雖然不能馬上到達西方極樂世界，但當下你已經在人間淨土樂逍遙了。

四、開發智慧，人間歡喜

最後一點是在說明，如何運用「聰敏靈巧」的智慧帶來人間歡喜，因而我們要去研究如何獲得「聰敏靈巧」的智慧，以下提出八種方法，供讀者參考。

（一）從「讀經閱藏」獲得智慧

一九〇七年，太虛大師十九歲，在浙江慈谿西方寺藏經閣閱藏，剛開始沒有目標隨意閱讀，一下子讀《憨山大師集》，一下子讀《指月錄》，一下又讀其他的經書。一位老首座知道了此事，就告訴他，閱讀經藏不可以東翻西找，要

◆ 深入經藏，智慧如海。

從頭到尾一個字一個字讀下去，不管看得懂或看不懂，都要依序而讀。

他覺得老首座說的有道理，因而開始一個字一個字的閱讀《大般若經》。就這樣讀了一段時間，身心漸漸安定，有一天讀經時，「忽然失卻身心世界，泯然空寂中，靈光湛湛，無數塵剎煥然炳現，如凌空影像，明照無邊。」一整個身心狀態進入一種空寂的境界，坐了好幾個小時，卻像一剎那間。歷經了許多日子，身心猶在清安愉悅的狀態。也就是這一次的悟境，從此太虛大師對佛法的體認更上層樓。

接著他又研讀《華嚴經》，忽然覺得《華嚴經》中所說的道理，都是他自己心中所思所見的境界。每有領悟，拿起紙來，振筆疾書，隨意抒發，每天可以寫數十張紙，累積了千萬言。從那時候開始，所有以前禪宗語錄帶給他的疑團，無法理解的問題，此時一概冰消雲散，心智玲瓏通透，沒有滯礙。以前學過的佛教義理，以及教外的世俗、知識、文字，都能隨心活用運轉自如。

其實老首座的這種讀經方式，就是在培養我們的耐性、培養我們的禪定，然後由定發慧，這是我們讀經閱藏者應有的態度啊！

佛門中人如此，其實世俗之人何嘗不是在踏實認真苦讀中得到利益。

話說在一八二五年一個臘月寒冬的晚上，湖南湘鄉一戶人家裡，十四歲的小男孩正在點燈苦讀。此時這戶人家的屋梁上趴著一個賊，他打算等這戶人家燈都熄滅了，好下手偷東西。

哪知這一個小男孩卻一直點著燈苦背〈岳陽樓記〉，而且背了幾十遍還是背不起來。這個小偷在梁上等急了，眼看天就要亮了還不能行動，真是孰可忍孰不可忍，最後實在忍不住了，蹭了一下從房梁上跳下來，極端惱火地跨前一步，將小男孩手上的書強奪過來，然後往桌上一扔，以極不屑的口氣說到：「瞧瞧你這個笨樣子，這篇文章有什麼難背的？」說著小偷一張口，就把〈岳陽樓記〉背了一遍，誦念完畢，滿臉不開心地拂袖而去，東西也不偷了。

很遺憾，我們不曉得這個聰明的小偷叫什麼名字，如果能夠導以正途，前程應該大有可為。雖不知道此偷兒的大名，但我們知道這個笨小孩叫曾子城，他就是後來名滿天下的晚清「中興第一名臣」曾國藩。

這則趣談雖然多半是後人所杜撰，不過也是告訴我們，就算資質駑鈍，也不要妄自菲薄，只要我們努力學習、加倍用功，勤能補拙，終有一天也會成功。所以當時有句話說「當官當學曾國藩，經商要學胡雪巖」，可見他在士子、讀書人心中是多麼崇高的地位。

（二）從「虔誠拜佛」獲得智慧

星雲大師曾經說過，禮佛拜佛是許多佛教徒每天必做的功課之一，但如何拜出智慧、拜出慈悲、拜出清淨、拜出感動，甚至拜出自己的佛心佛性，這才是真禮拜。

其實大師在沙彌養成教育的階段，就從虔誠禮佛中得到法益。大師十五歲的時候受戒，因為戒師將戒疤燒得太大，且用嘴巴去吹，十二個香珠連結在一起，不但頭蓋骨燒凹下去，還破壞了腦神經細胞，原本聰敏靈巧的大師，竟然從此失去了記憶力，變得笨拙不會念書，因而常常遭受老師責罰。

有一天，老師拿起戒尺，打大師的手心，還一面責罵，你這麼傻，要去拜觀世音菩薩，求智慧呀！此時大師突然有了光明希望，每天晚上等到大家熟睡，就悄悄的起床，去佛堂禮拜觀世音菩薩。大約持續了三、四個月，雖然沒有菩薩摩頂授記、甘露灌頂等感應，但是卻有另一種不可思議的現象發生，大師的記憶力忽然有一百八十度的轉變，過去念了二、三十次無法記住的文章，現在只要兩、三次就背起來了。這是大師虔誠拜佛獲得的智慧，此種修行方式是我們要學習的地方。

（三）從「發心作務」獲得智慧

《海潮音》是佛教界一本很有分量的雜誌，除了是太虛大師創刊外，裡面刊登了很多人間佛教的新觀念、新思想，深受佛弟子的喜愛，因而《海潮音》的主編都是當時佛教界的一時之選。其中一位主編名叫智藏法師，他如何從不識字，最後變成《海潮音》雜誌的主編呢？

大師在〈佛教青年成功立業之道〉提到：「閩南佛學院有一位智藏法師，他十六歲進入閩南佛學院時，還不識字，但是到了二十二歲卻成為《海潮音》的主編。只有六年的時間，他的智慧從哪裡來的？事實上，他並不是只顧念書，什麼事都不做。他打掃廁所，不用掃帚，用手去擦去摳；凡是水溝沒有人通的，苦事沒有人做的，他都自己來，他本性中就希望自己刻苦勤勞。養成了這種吃苦的習性，培植福德之後，再去讀書，當然會比別人更快收到成果。耐得起歲寒的是松柏，耐得起苦行的人，將來才能成為棟梁之才。」

又如同佛陀的弟子周利槃特，雖然愚笨，但從「掃塵除垢」最後智慧大開。他們都是借助外相上的出坡作務，進而滌濾自心煩惱塵垢。想獲得智慧，「發心作務」是不可或缺的修行功課。

不過，很可惜，智藏法師二十多歲就往生了，讓人不勝唏噓慨嘆！但他的發心作務、苦行勤勞，最後智慧大開，成為雜誌主編等種種事蹟，卻永遠留在我們的心中！

（四）從「沉著冷靜」獲得智慧

二〇〇三年十月我從美國西來寺調回總本山擔任都監院院長，記得那時候十月底的「五戒菩薩戒會」剛結束，接著馬上要舉辦水陸法會。好不容易圓滿了一年一度的水陸法會，本想好好了解都監院的日常運作，但都監院書記來請示我，再過一個多月就要過年了，我們要如何布置？我們如何打通山路到佛館？這才驚覺，時間怎麼過得那麼快？完全沒有經驗的我，在大師的指導，全山大眾的協助下，我們成功舉辦了二〇〇四年「佛光山花木奇石藝展」。

隔年二〇〇五的年初，本山大部分的活動法會都告一個段落，我們都監院書記全心投入處理春節的各項布置及文宣工作。記得距離過年只剩下一個禮拜的時間，我突然心

◆ 2005 年佛光山春節簡章

血來潮問了承辦的書記，今年春節的DM（簡章）送來了嗎？那位書記當下臉色慘白的說：「糟糕，我們忘了設計。」此時是晚上十點多，明天印刷廠要洗機器，不再印刷，此時我的腦袋也一片空白，沒有DM，等於沒有了燈會的訊息，屆時一定一片混亂，怎麼辦呢？

此時我告訴自己不可以生氣、不可以慌亂，我要冷靜下來。過了一會兒，我以平和語氣告訴那位書記，你繼續手頭上的事情，DM 我來處理，他以一種懷疑的眼神看著我，因為他知道我不會美編，也沒有編輯過 DM。

其實，我也不知道哪裡來的勇氣說我來設計。但接下來，我把歷年來都監院收集的 DM 全部搬出來參考，然後簡單畫了一個草圖，指示這裡放什麼照片，那裡放什麼照片，這邊文字怎麼寫，那邊的主標怎樣下，就這樣拼拼湊湊竟然完成了初稿。約莫十二點多，廠商來山上拿設計圖，隔天中午就將 DM 樣稿給我們做最後確認，而後順利印刷送到山上來，化解了驚心動魄的疏忽。

從這一個事件，我得到一個重要的體會，那就是在越慌亂的時候，要越冷靜，絕不可以大呼小叫，自亂陣腳，搞得大家心慌意亂，相信許多不可思議的智慧這時候會突然蹦出來。如《大乘理趣六波羅蜜多經》云：「靜慮能生智，定復從智生，佛果大菩提，定慧為根本。」所以佛門的修持強調「止觀雙修」、「定慧等持」的說法。

（五）從「用心觀察」獲得智慧

一九二三年，美國一家汽車製造廠電機房的馬達壞了，所有的技術人員都修不好，正當大家束手無策、焦慮萬分的時候，一位員工推薦了其他公司的技術人員來處理。這位來自德國的工程師名叫思坦因曼思，因為第一次世界大戰結束，德國戰敗，且要支付巨額賠款，國內民生凋敝、經濟不景氣，為了生活，他不遠千里來到美國，很幸運地被一家小工廠老闆聘用，擔任生產機器馬達的技術人員。

他到了現場，聽取技術人員的分析報告，接著向他們要了一張草蓆，鋪在地上，躺下來專注地聆聽馬達轉動的聲音，如此三天。接著看他爬上爬下、看東看西，最後在馬達的一個部位寫上「這兒的線圈多繞了十六圈」幾個字。之後，公司的技術人員按照他的建議，把多繞的十六圈拆除，神奇的事情發生了，馬達竟然正常運轉了。

這件事被公司高層知道了，除了給他一萬元的酬勞，還展開挖角行動，想聘請思坦因曼思到公司任職。這個天大的好機會，他卻婉拒了，因為小工廠的老闆在他最困難的時候伸出援手，他不能見利忘義，做出忘恩負義的事情。

為了得到這樣的人才，經過董事會的同意，公司最後決定收購這家名不見經傳的小工廠，也將他收為麾下。

其實每一個人內心都潛藏了不可思議的智慧，只是還沒有開發出來。像思坦因曼思除了技術精湛、品德兼備，他更擁有用心觀察、耐煩做事、重視細節，然後找出問題，解決問題的能力，這也是一種智慧啊！

（六）從「勇於承擔」獲得智慧

二〇一六年佛光山春節平安燈法會，要在藏經樓展出山東菏澤牡丹花，對佛光山大眾來說是一項大考驗，因為牡丹花是要經過寒冬，到了四月才會開花，暖冬的高雄哪有可能？而且牡丹花有一個特性是「四宜四怕」，即宜涼怕凍，宜暖怕熱，宜光怕陰，宜乾怕濕。難怪民間故事說武則天冬天到皇家宮苑遊玩，詔令百花齊放，唯有牡丹不從而被貶至洛陽，讓牡丹花除了富貴的意涵，亦有不畏權勢的美名。雖然是個傳說，但也點出牡丹花在冬天是無法開花的事實。

台灣南部的天氣如此不適合牡丹花生長，那麼佛光山又是如何完成這一項不可能的任務呢？

二〇一五年九月底，山東菏澤的二千五百株牡丹花苗裸根運送至佛光山，以李博為首的三位農技人員先將花苗冷凍起來，因為冬天時節，牡丹花正在養精蓄銳，以便在四月開放。

但隨著春節的腳步越來越近了，不得不將花苗從冷凍櫃迎請出來，送到戶外催花。真的對不起這些牡丹花，因為它們正在休眠，如何讓它們在養精蓄銳、心不甘情不願的情況下開花，又是一個大問題。

要知道這批花苗，已經習慣大陸性溫帶氣候，卻要卸除所有的枝葉，以裸根的方式離鄉背井，歷經出關、入關的反覆折騰檢驗，來到熱帶性海洋氣候的南台灣，加上適逢牡丹存活率較低的「小年」（約在農曆十二月下旬），真是既無地利，也無天時。

還不只如此，這一兩年偏偏碰到聖嬰效應，天候變幻莫測，南台灣不僅出現少見的低溫，且溫差懸殊，晴雨不定，更不利牡丹花苞的開放。尤其當花苗從冷凍櫃取出，置放在溫室栽培，結苞期的牡丹最為嬌嫩脆弱，瞬間的高溫、強風、急雨，都會帶來致命

◆ 佛光山大眾出坡為牡丹花苞撥開苞膜

傷害。李技師只好和伙伴輪班，每天二十四小時緊盯著每株苗、每朵花苞的進展，遇狀況便緊急處理，才能安然度過危險期。可知牡丹花多麼難栽培。

「屋漏偏逢連夜雨，行船又碰對頭風」，某個深夜忽然颳風下雨，氣溫驟降，三位農技人員，忙著為溫室披上遮雨棚，深怕雨水侵擾嬌貴的花苗，結果天亮以後卻豔陽高照，又要趕快拉開遮雨棚，如此忙來忙去，沒有毅力恐怕撐不下去。

另外，有幾天氣溫升高，植物生長加快，李技師發現必須在一天之內替所有花苞撥開苞膜，否則會「胎死腹中」。此時佛光山全體總動員，發揮集體創作的精神，前往後山出普坡。雖然大家第一次照顧牡丹花，但平日出坡習慣了，加上專注力，一下子就上手了。

有些人小心翼翼地撥開苞膜，露出花芽；有些人以毛筆為花蕾補充養分，就這樣連續幾天，當元月十日看到第一朵牡丹花綻放，大家才如釋重負，解除牡丹花的危機。也因為大家勇敢的接受，歡喜的投入和出坡，我們才能在過年期間看到花開富貴的牡

◆ 佛光山克服萬難，終於讓牡丹花在南台灣盛開。

丹花。

在此，要謝謝菏澤市政府的全力支援，也感謝李博等三位農技人員，每天二十四小時輪班盯緊每株花苗的狀況，雖然難關好多，但都關關難過關關過。

從前面所說的DM製作，到栽培牡丹花，樣樣都是困難重重，但只要我們勇於承擔、心甘情願面對，自然而然，智慧就在無形之間產生，帶領你度過難關。因此，我深深感受到：「智慧來自經驗，經驗來自失敗，失敗來自承擔，承擔來自甘願。」

（七）從「忽略遺忘」獲得智慧

民間有一個傳說，晚清軍事家左宗棠，有一天微服出巡，看到街上有一老人擺上棋陣和人對弈，且掛上招牌自稱「天下第一棋手」。左宗棠不以為然，乃向他挑戰，結果老人不是對手，左宗棠輕蔑地命老人拆掉招牌，不要丟人現眼。

等左宗棠平定新疆之亂回來，看到那個老人竟然還掛著招牌，很是生氣，叫他拆掉，老人不肯，還挑釁地說，如果你能夠贏我就拆招牌，結果左宗棠三戰三敗，大為訝異地問老人棋藝為何進步神速？

老人說，上次你微服出巡，我知道你是左將軍，正要出征，所以故意讓你贏，好讓你充滿信心去打戰。但現在你凱旋歸來，我也沒有顧忌了。

好一個「讓你贏」的智慧啊！

另一則故事，一個出家人砍完柴正準備下山，碰到一個年輕人手上抓著蝴蝶，僧人請他放生，這時青年有意戲弄僧人，便以雙手搗住蝴蝶，問僧人現在蝴蝶是死？是活？還說如果猜錯了，此擔柴歸我所有。僧人不假思索地說：「是死的。」青年開心的將蝴蝶放走，然後揹著柴薪離開。

青年回家後得意洋洋告訴父親，反而被父親教訓一頓：「你以為贏了，其實你輸的太徹底了！」父子兩人揹著木柴回去向僧人道歉，僧人笑而不語的接受了。

回家路上，青年不解地問父親為何要道歉？父親語重心長地說：「你以為那位出家人猜不出你的心思嗎？若說蝴蝶是活的，你會把牠捏死；若猜死的，你就會放走牠。無論如何，你都會贏得那擔柴。但是出家人輸了一擔木柴，卻贏得慈悲啊！」

因此有人說：「和老婆爭，你贏了，感情斷了；和朋友爭，你贏了，友情斷了；和客戶爭，你贏了，合約沒了；和老闆爭，你贏了，工作也停了。」所以藺相如不和廉頗爭，趙國江山社稷保住了；孔子教導顏回不要和買布之人爭，輸了帽子，卻救人一命。「讓你贏」，不和你爭，是一個很高明的「忽略遺忘」的智慧啊！

（八）從「老實修行」獲得智慧

為何「老實修行」可以獲得智慧？

有一位持律師（又稱晒蠟法師）為人誠篤，做事認真，在金山寺禪堂擔任香燈師。每年六月初六，按照常住的規矩，都必須將大藏經搬到戶外吹風、晒太陽，避免發霉。這本來是一項正常的佛門行事，但卻被一位調皮的同參亂用了，他對持律師說，經書要晒，蠟燭也要搬出去晒太陽，才不會發霉。想不到持律師信以為真，竟然將禪堂內所有的蠟燭，都搬出去晒太陽。過沒多久蠟燭晒得都融化了。

到了晚上，禪堂要點燈參修，卻找不到完好的蠟燭，維那師追查以後，發現持律師被愚弄了，但壞了規矩還是要處罰。因而維那師就對他說：「你這麼有聰明智慧，在此地參學，太委屈你了。現在諦閑法師在溫州頭陀寺講經，專門培養弘法人才，你可以到那裡學習，將來學成之後，到各地講經說法，利益人天，弘範三界。那時我去給你當維那，大家都能沾你的光。」維那師其實語帶諷刺，可是持律師不疑有他，立刻前往頭陀寺參學。

面見諦老，持律師說明為何前來求法的經過，諦老知道他是一個根器愚鈍的人，就安排他做各種苦行單，如淨頭、菜頭、飯頭、巡山、巡寮等，磨鍊其心性。在苦行之餘，他又勤學五堂功課，努力背誦《楞嚴經》、《法華經》、《法華經會義》和《楞嚴經文句》等經論，十幾年來如一日，沒有間斷。

所謂「鐵杵磨成針，功到自然成」，持律師終於心開意解，以前聽不懂得經論，現在都明白了，且可以背誦出經文，諦老便讓持律師陞座講經。但持律師沒有因此驕傲，講座結束，他仍去做苦行單的工作。後來，金山寺曾經羞辱他的同參，聽到持律師竟然可以開大座，心裡都很慚愧；原先的維那師，則兌現當時的諾言，在持律師講經的時候，為其擔任維那。

持律禪師雖不聰敏靈巧，但是腳踏實地修行，在經論方面也是從一字一字、一句一句、一行一行慢慢學習；在作務方面，諸如除糞、挑水、掃地、行堂、擦桌子、洗碗等等都不排斥。更難得的是，縱然已經可以開大座講經，但以前的苦行單工作，他都沒有停止，有時往往行堂工作結束，才匆匆披上紅祖衣去講經。持律師這種能吃苦、能踐履、看得破、放得下的老實修行特質，相信是獲得智慧的重要來源。

其實獲得智慧的方法很多，我只是約略提出八種方法供大家參考，而我們獲得「聰敏靈巧」的目的，不是炫耀自己有多了不起，而是藉此智慧化解問題、克服難關、淨化人心，帶來人間歡喜。

以上是針對大師二〇一六年新春賀詞「聰敏靈巧」，帶來「人間歡喜」的一點淺見，並分成這四個重點說明，我們如何去實踐：

一、運用聰敏，發揮靈巧。

二、神通廣大，服務大眾。

三、待人有禮，處事圓滿。

四、開發智慧，人間歡喜。

◆ 老實修行，功到自然成。

名聲天曉——

人生奮起，聲譽遠播。

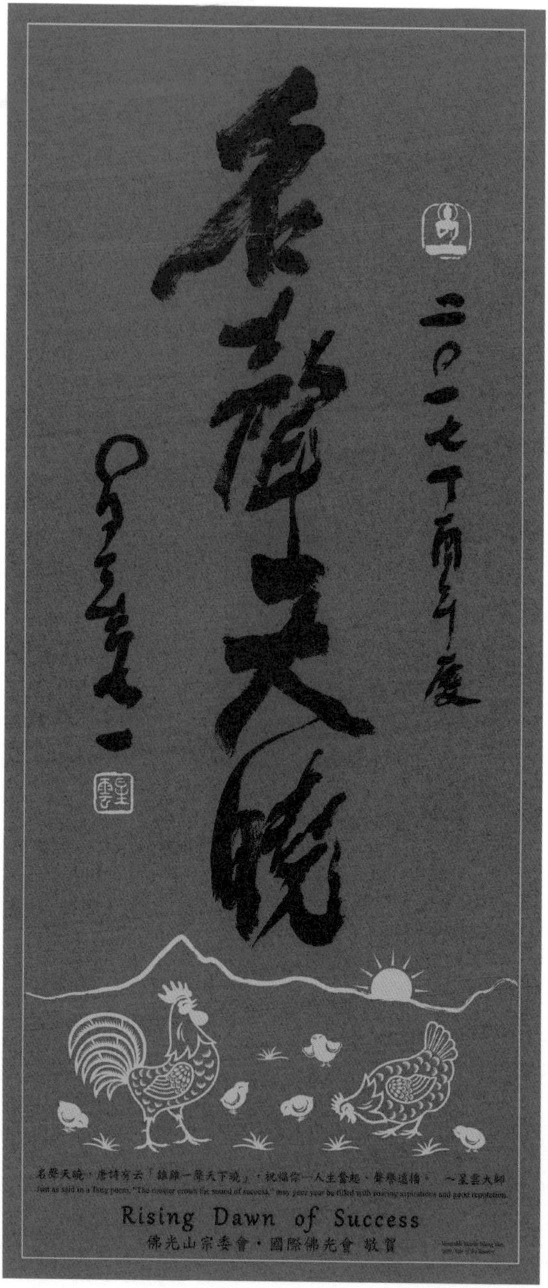
名聲天曉，唐詩有云「雄雞一聲天下曉」，祝福你一人生奮起，聲譽遠播。～星雲大師
Rising Dawn of Success
佛光山宗委會・國際佛光會 敬賀

苦難時——

如何奮起？如何面對？如何突破？

我從佛陀及弟子、高僧大德、星雲大師，

以及成功人士的實例來做說明。

面對修行的難關、生命的苦厄，

碰到各種挫折困難、侮辱橫逆，

他們的身行言教值得我們效法學習。

九

名聲天曉，奮起飛揚的人生路

二〇一六年尾，《聯合報》及中國信託共同舉辦一個活動，請社會大眾用一個字來表達台灣二〇一六年的情況，結果「苦」字是票選最高的。原因是什麼，我就不再特別敘述，我想談的重點是，在面對苦日子的時候，我們如何因應？而這個答案就在星雲大師二〇一七年的新春賀詞「名聲天曉」裡說明了：「唐詩有云：『雄雞一聲天下曉』，祝福您——人生奮起、聲譽遠播。」

針對大師的高見，我訂定了講題：「名聲天曉，奮起飛揚的人生路」，要和各位讀

◆ 雄雞一聲天下曉

者共同探討。當我們碰到苦難的時候，不要灰心喪志，要勇敢面對，當內心有了這一股直下承擔的勇氣，相信你具備了奮起飛揚的力量，此股充沛的力量，可以幫助我們度過難關，自然受到大眾的肯定與讚揚。

首先我們先來了解「雄雞一聲天下曉」。這句話出自唐朝李賀（七九〇～八一六年）〈致酒行〉：

零落棲遲一杯酒，主人奉觴客長壽。
主父西遊困不歸，家人折斷門前柳。
吾聞馬周昔作新豐客，天荒地老無人識。
空將箋上兩行書，直犯龍顏請恩澤。

我有迷魂招不得，雄雞一聲天下白。
少年心事當拏雲，誰念幽寒坐嗚呃。

我們大都聽過「詩仙」李白、「詩聖」杜甫，還有「詩佛」王維（摩詰居士），對「詩鬼」李賀就比較陌生。

李賀乃唐朝一位富有創造性的傑出詩人，人稱「詩鬼」，下筆異於眾人，天馬行空，詩境瑰麗。李賀是唐宗室鄭王李亮後裔，雖然家道沒落，但志向遠大，勤奮苦學，博覽群書，年紀輕輕就順利通過河南府試，獲得了「鄉貢進士」的資格。

競爭者心有不甘，就蒐羅罪名毀謗李賀，故意說其父名晉肅，諧音「進士」，李賀應該避開其父的名諱，連這種基本禮節都不懂，如何當鄉貢進士？受到這種無端的汙衊攻擊，李賀雖然上京考試，卻因當局認同這種荒謬的控訴，讓他失去了參加應試的資格，當時只有十六歲的李賀不得不困守長安，鬱鬱不得志！

雖有好友韓愈、皇甫湜給予慰勉相助，但李賀目睹朝政昏暗，國勢衰微，兼之己身遭遇坎坷，心中自然越發憤恨不平，他把這種思想感情熔鑄到自己的創作中，因而在詩歌創作上獨辟蹊徑。一生僅做過三年的九品奉禮郎，二十七歲便因病往生！

回顧他被迫剝奪科考資格後寫的這首〈致酒行〉，詩的前八句大意是，他潦倒落魄，困居他鄉，因此借酒消愁，店主看到後，就前來持酒相勸，並祝他身體健康、長命百歲。

店主開解他，當年漢朝主父偃向西入關，家人都已經折斷門前柳枝為其送行，祝他早日衣錦榮歸。進京面見了衛青將軍，雖有向漢武帝舉薦，卻沒有音訊，因為等待許久，盤纏資用困乏，賓客覺得此人不受重用，自然就看不起他，但他仍不受動搖。後來，主父偃的上書終於被採納，當上了郎中（帝王侍從官的通稱），大家才對他刮目相看。

還有唐朝馬周旅居新豐（陝西西安左近的城市）之時，受到旅店主人輕慢對待，仍面不改色，一個人悠然喝酒。後來馬周客居到中郎將（禁衛統領之高級武官）常和家中，有一日，常和告訴馬周，皇上命文武百官每人寫一篇有關朝政的報告，常和一介武夫，不通文墨，請馬周替他執筆。完成後，常和將文章送呈唐太宗，太宗大悅，常和便向太宗舉薦了門客馬周，馬周遂任職門下省（負責審查國家的重要詔令），隔年授任監察御史。

所以接下來〈致酒行〉的後四句：「我有迷魂招不得，雄雞一聲天下白」，「迷魂」喻指李賀心煩意亂，無所歸依，不知道何去何從，所以「招不得」。經過店主的開解，他突然茅塞頓開，胸中豁然開朗，就如同那雄雞一鳴，烏雲散去，天下大白！

「少年心事當拏雲，誰念幽寒坐嗚呃」，那時年僅十六歲的李賀，激發出一股可以上天去奪雲的豪邁氣概，充滿了勇氣、憧憬！少年人正該志氣高遠，為何要唉聲嘆氣、自怨自艾，躲在幽暗的角落「坐嗚呃」呢？

因此接下來，我想從佛陀及弟子、高僧大德、星雲大師，以及成功人士的實例，說明他們在苦難的時候如何人生奮起？如何面對？如何突破？最後得到成功。他們的身教言教值得我們效法學習。

一、佛陀及弟子

首先我們來研究偉大的佛陀及弟子如何面對修行的難關，和生命的苦厄。

（一）太子的悟道

二千五百年前，悉達多太子看到人生的生、老、病、死實況，想要追求解脫輪迴之苦的念頭越來越強烈，因此毅然出家，進入苦行林修行。

經過六年的精進苦修，太子發現光是重視形式上的苦行、斷食來求解脫，不是正確的修行方式，因為苦了肉體反而更執著肉體。解脫的重點應該在忘了肉體的苦樂，仍能求得心中永恆的清淨安詳，所以修行重點在除掉心靈上的貪染渴望，如此方能真正得到解脫。

想通了這一點，太子斷然地放棄苦行，走到尼連禪河洗去身上的汙穢。但因體力不濟，疲乏無力地倒在尼連禪河邊，正巧牧羊女經過，便以奶製品熬製的粥供養。太子恢復體力後，前往伽耶山菩提樹下繼續精進修行，最後夜睹明星而悟道成佛。這也是佛陀成道日吃臘八粥的由來。

這一段悟道的敘述，看似簡單平凡，但大家可知太子此段期間經歷了多麼驚心動魄的考驗？當太子走入伽耶山，看到一棵菩提樹下有塊平廣的位子，適合用功修持，此時的悉達多太子發出了堅定的誓願：「我若不能了脫生死，證得無上正等正覺，縱然粉身碎骨，也絕不離開這個座位！」一人心生一念，天地悉皆知！這樣驚天動地的宏願，被魔王波旬感知了，便派魔女、魔軍來干擾太子的修行。

但是，他們用盡了各種邪惡的方法，太子仍然如如不動！因為這時候的悉達多已經進入了甚深禪定，以無漏的般若智慧，清楚看透種種虛偽的假象——兇猛魔軍所製造出的恐怖景象、威脅暴力，是內心的怯弱跟驚慌產生的恐懼；妖嬈魔女所散發出的誘人姿態、甜蜜言語，是內心的貪婪渴望，因而造成掛礙、執著。因此，太子用「戒定慧」的力量，去息滅降伏內心的「貪瞋痴」雜染欲望！

大師在《釋迦牟尼佛傳》如此描述悉達多的心境：

「太子此刻的心，像無風的水面，更加的平靜；像正午的太陽，更加的光明。天空散下來的花朵，好像是等待著供養即將成就正等正覺的太子。」

「降伏惡魔以後的太子，志願更加堅固，心中更加平靜，深入在三昧的禪定境界中，已經到達無念無想的領域，可以說光天化日的覺悟世界，就將現在眼前。」

就在這一剎那，太子仰望天際，夜睹明星開悟成佛，說了一句震撼古今寰宇的偉大真理教示：「奇哉！奇哉！大地眾生皆有如來智慧德相，只因妄想執著，不能證得。」從此我們凡夫俗子也知道自己是一尊佛，我們要肯定自己、要昇華自己，讓自己將來也可以成佛。

這是悉達多太子歷經千辛萬苦開悟成佛的過程，在菩提樹下的太子，當時如果沒有以「戒定慧」守住心靈上的城門，抵抗煩惱魔軍魔女侵入，今天我們也無法聆聽到「眾生皆有如來智慧德相」的偉大宣言，又如何能夠學佛呢？

（二）佛十宿緣

接下來，我們研究佛陀成道以後，碰到各種挫折困難、侮辱橫逆，佛陀如何去面對呢？其中之一，就是深入了解因緣法：為何會有這些惡業臨身？為何會有這些果報浮現？

佛陀成佛後仍受到的十種果報，叫做「佛十宿緣」，分別是：「孫陀利謗佛緣、奢彌跋謗佛緣、佛患頭痛緣、佛患骨節煩疼緣、佛患背痛緣、佛被木槍刺腳緣、佛被擲石出血緣、佛被旃沙繫盂謗緣、佛食馬麥緣、佛經苦行緣。」

《佛光大辭典》對此說明：「據《佛說興起行經》卷上、卷下載，如來眾惡皆盡，萬善普備，然因往劫造眾惡因，無數千歲，無量苦報猶殘餘未盡，於成道後，復償宿報，故說此十宿緣，以示人凡造惡業，果報難逃。」

佛陀很坦然地告訴弟子，由於自己過去一念無明，種下的惡因，所以今生今世不但不能逃避，還要勇敢地接受，方能懺除業障。

由於篇幅的關係，我就不一一闡述這十宿緣。下面舉一個例子來說明，佛陀遇到災難苦厄，是如何面對的。

最近，在網路看到一部印度人拍攝的《佛陀傳》電視劇，非常受到大家歡迎。其中一個單元名叫〈蘇利陀〉：

有一天，佛陀要去一個村莊托缽，在村口被有刺的荊棘扎到，當時有一群婆羅門與剎帝利大聲嘲笑佛陀，並對佛陀說了一些風涼話：佛陀不是大聖人嗎？怎麼也會受傷！

阿難尊者想要把那些荊棘弄到兩邊，卻被高傲種姓的人阻止，佛陀非但沒有生氣，反而心平氣和地說他要到村莊裡面乞食。那群人對著佛陀說：「這地上都是荊棘，代表我們這個村莊不歡迎你的到來。你若要乞食，就自己走過來吧！」此時佛陀不假思索地踩踏過去。

這時候，屬於首陀羅的蘇利陀（一說尼提），馬上衝過去把荊棘掃開。他的行為受到那群自認高貴的人的喝斥及阻礙，還警告他若還繼續打掃，就別再想回到村裡！蘇利陀看了看他們，沒有理會，繼續把荊棘掃開。之後，蘇利陀很恭敬的向佛陀合掌，並請佛陀進村，此行為感動了村民，紛紛出來供養佛陀。

◆ 佛陀行化圖〈慈度尼提〉

佛陀沒有說話，緩緩靠近蘇利陀，對他摩頂。蘇利陀嚇得避開，請佛陀不要碰他，因為身為賤民，連他的影子都會玷汙別人！佛陀就跟蘇利陀說：大家一樣是人，一個人的觸碰不會玷汙另一個人。像你這樣慈悲、充滿愛心的人，只會讓別人快樂，而不是痛苦。外相的卑賤不是真正的卑賤，內心裡面充滿了貪婪、仇恨、愚痴和欲望煩惱的人，才是真正玷汙了別人。

婆羅門與剎帝利聽了很不開心，就辱罵佛陀是個騙子。佛陀對他們開示說，從他人身上奪取人性尊嚴的人，才是真正的騙子。土地孕育了世間萬物，我們向天空拋灑塵土，天空不會降低高度，更不會被汙染，但是塵土卻會落回到我們身上。大地之上產出的穀物，從不曾挑揀食用它的人。大自然既然從沒有歧視我們，我們人類又為何要相互貶低呢？

佛陀接著問蘇利陀，是否願意做比丘？蘇利陀雙唇顫抖地問佛陀：「我是個賤民，我哪裡有資格做比丘？」佛陀馬上說沒有問題，歡迎蘇利陀成為比丘。佛陀說完，蘇利陀淚流滿面，合十跪在佛陀腳邊，成為真正的比丘。

此段故事很清楚地告訴我們，佛陀遇到了災難，不是運用神通威力、不是生氣暴怒，而是運用慈悲智慧去化解難關。同樣的，佛陀碰到惡果臨身（佛十宿緣），以冷靜的態度面對，然後以般若智慧化解，且告訴弟子所有這些宿緣的來龍去脈，讓我們知道因果業報的可畏。同時告訴我們要謹小慎微，注意自己的身口意，不要去造業，要知錯認錯，懺悔業障，方能脫離苦海。

（三）富樓那尊者

從前面的敘述，我們已經清楚了解，佛陀如何面對外在的苦難、內心的衝擊，以及因應的方式。接下來要談佛陀的弟子，碰到困難挫折的時候是如何因應？

有一天，富樓那尊者向佛陀報告要去輸盧那國弘法，佛陀勸他，那個地方的眾生剛強難化、對人粗暴，還是換個地方吧。此時富樓那堅定的稟報佛陀：「我知道此國是一個邊地的野蠻國家，所以沒有人敢前往。正因為如此，才發心前往弘揚佛法，開闢人間的淨土！」

為了試試富樓那有多大的決心和毅力，佛陀就問他一些問題——

佛陀：「如果那邊的人罵你，罵了很不堪入耳的話，你怎麼辦？」

富樓那：「佛陀，他們只是罵我而已，並沒有打我。」

佛陀又問：「如果他們打你，還拿棍棒石頭丟你！那你怎麼辦？」

富樓那：「他們很慈悲，並沒有把我殺了！」

佛陀：「那如果他們殺你呢？你怎麼辦？」

富樓那：「慈悲偉大的佛陀，如果他們真的殺了我，我會感激他們！因為他們幫助我以生命來成就道業、幫助我進入涅槃。這對我沒有任何妨礙，只可惜他們無法聆聽到真理之言，那就太遺憾了。」

對於富樓那這樣的大無畏精神，佛陀深深表示讚許，同時說他已經具備布教師的精神與素質了：能對三寶的信仰確立不動搖，又有慈悲、沉著、才智為助；有健康的身體，再以品行、風度、聲音、辯才為輔。富樓那皆已具備條件，所以允許他到輸盧那國去布教！

到了當地，果真如佛陀所說，此地眾生不堪教化。但是他沒有氣餒，積極尋找突破點，就住在那裡觀察，到底他們需要什麼東西？當百姓需要照顧，他就給予照顧；百姓需要醫療服務，他就給予醫療服務；百姓需要什麼事情，他都去為他們服務、給予幫助。最後富樓那尊者在輸盧那國弘法有成，收了五百位弟子，甚至建造了五百座寺院，贏得了當地人的認同和肯定。

星雲大師曾說：「佛光山是『給』出來的。」富樓那尊者如是，佛光山在各地安僧建寺又何嘗不是！

（四）目犍連尊者

「目連救母」的故事相信大家都聽過，內容提到神通第一的目犍連尊者，無法施食給在餓鬼道受苦的母親，最後在佛陀開導下，供養十方眾僧，仗佛光明，及眾僧誦經功德，助其母親解脫升天。

要知道，目犍連尊者的神通威力是何等了得，他可以一隻腳踩在地球，另一隻腳跨過欲界、色界踩到大梵天！然後在空中說法度化無數眾生！他的神通威力已經到達這樣不可思議的境界，但什麼時候他才認清神通不是萬能的呢？

當琉璃王攻擊迦毗羅衛國，他運用神通威力，救助五百位釋迦族人，結果全部化為血水，這時目犍連尊者才真正覺悟到佛陀所說「定業不可轉，神通敵不過業力」的真理。所以，為了遵奉此真理法則，尊者壯烈犧牲了。

目犍連尊者熱心宣揚佛法，遭到外道的嫉妒，由於外道沒有辦法陷害佛陀，於是他們等待機會要暗殺目犍連。有一次，尊者經過伊私闍梨山下，被當時的裸形外道看到，他們就從山上推下亂石擊殺目犍連。因為不使用神通的緣故，尊者的肉身被打成肉醬，但是那些外道兩三天內都不敢靠近此地，因為他們害怕目犍連是詐死。等到三天之後沒有動靜，確定目犍連已經死了，才安心地離開！目犍連被外道殺害的消息，很快傳到阿闍世王耳中。王非常震怒，即刻下令逮捕兇手，處以死刑！

這個消息傳到了僧團，一些根基淺薄的僧眾，就開始議論紛紛：目犍連尊者有大神通，但是他為什麼不用神通和外道對抗呢？他怎麼會被砸死呢？如此我們修道學佛的目的何在？

於是，有人就去請示佛陀，為什麼會發生這樣的事情？佛陀開示：「諸比丘！你們不要胡亂猜想，生死的問題，在覺悟者之前是不成問題的。有生就有死，死是不必驚慌懼怕的，要緊的是對於死有無把握。只要目犍連尊者受害的時候心不猶豫迷茫，他已經真正進入涅槃了。」

接著佛陀對弟子們說，目犍連並不是不知道預防，他是具有大神通力的阿羅漢，但他深知因果法則、也深知神通敵不過業力，他知道自己過去世捕魚殺生的業是要了結的。而且他早已發願要將生命獻給真理，如今滿了他的願望，相信他是歡喜入滅。目犍連這種犧牲生命，為真理殉教的精神，必定會將佛法更加發揚光大！

因而星雲大師寫〈弘法者之歌〉的時候，特別提到富樓那尊者及目犍連尊者，除了表彰他們為法忘軀的精神，也是希望我們後世出家人以兩位尊者為榜樣！

二、高僧大德的成就

了解佛陀及弟子的偉大事蹟後，接下來，我們談高僧大德奮起飛揚的人生經歷。

（一）鳩摩羅什大師

鳩摩羅什大師是西域的龜茲國（今新疆庫車縣）人，乃中國佛教史上四大翻譯家之一。他的母親懷孕時突然會講天竺語，當時一位高僧預言：「此必懷智子。」果然，等到羅什出生後，他的母親又不會講天竺語了。

其母有感人生的苦空無常，遂立誓出家修行，當時羅什只有七歲，亦隨母一同出家。羅什二十歲時，母親決定要往天竺修行，臨走前問羅什：「大乘佛法將要傳揚於東土，需要仰賴你的力量。但這一件偉大的事情，對你而言沒有任何利益，而且會有傷害，你要如何做？」

鳩摩羅什莊嚴地回答：「如果我能使佛陀的教化流傳，使眾生從愚迷中醒悟，即使遭受火爐湯鑊之苦，也不會有絲毫怨恨。」發此宏願後，母親放心地前往天竺，同時也開啟了鳩摩羅什坎坷不平的一生。

建元十八年（三八二年），前秦苻堅派大將軍呂光領兵七萬出征西域，到龜茲國迎羅什到中國來，使命雖達，但苻堅已被姚萇所殺，呂光便自立為帝，建立後涼國，沒有回中土。呂光不信奉佛教，去「迎請」羅什是迫於王命所使，因此對羅什非常不恭敬。聽聞龜茲王白純有一女兒，為羅什表妹，尚未婚嫁，呂光令羅什娶王女為妻，羅什當然不

◆ 西安草堂寺的鳩摩羅什像。草堂寺為羅什至長安居住、譯經之所，現為三論宗祖庭。

◆ 甘肅武威（古稱涼州）的鳩摩羅什寺，據說舌舍利即供奉於此。

從，呂光便強迫羅什飲酒並灌醉他，然後逼迫兩人成婚。又驅使羅什騎乘笨牛劣馬來戲弄羞辱他。

弘始三年（四〇一年），後秦姚興出兵攻打後涼，呂氏兵敗投降，羅什才被迎入中土，那時他已經五十八歲。姚興與呂光的極大不同，就是他對羅什非常尊重，不但以國師之禮善待羅什，還常常親自參與羅什的講經、譯經活動。

有一天，姚興希望羅什能留下後代，便跟羅什說他有宮妃數百，想送十人給他。羅什很是無奈，但有些僧人卻羨慕羅什的豔福，便想學他，做個剃髮的在家和尚。羅什怕佛教、僧侶、僧團出狀況，他不敢疏忽大意，便召集眾僧，拿出一滿缽的針說：「你們若能與我同樣，將一缽銀針吞入腹中，我就同意你們娶妻蓄室。否則，絕不可學我的樣子。」

大家看到羅什這樣的喝斥，就不敢再效仿要娶妻。但是羅什仍不放心，每次登座講法，必會跟大家說：「我被逼無奈，娶妻蓄室，行為雖同常人，精神卻超越俗事。譬如蓮花，雖生臭泥之中，卻能出汙

◆ 但採淨蓮，莫取汙泥。

泥而不染，大家萬萬不可以為我沉溺世俗之欒，而學我的樣子，忘了出家生活。」

羅什在長安組織了中國歷史上第一個官辦性質的譯經場，帶領弟子共譯出七十四部、三百八十四卷的佛教經典。他因曾羈留涼州十七年，對於中土風俗民情及中文語法極為嫻熟，本身亦博學多聞，文學造詣深厚，其翻譯以意譯為主，而且注意修辭，譯文流暢，饒富文采。主要有《摩訶般若波羅蜜經》、《妙法蓮華經》、《維摩詰所說經》、《金剛經》、《阿彌陀經》、《中論》、《十二門論》、《大智度論》、《成實論》等，系統介紹了「大乘中觀派」的思想體系。

鳩摩羅什大師在圓寂前跟眾僧告別，他說因為佛緣才和眾人相逢在中土，非常希望譯出的佛典能「傳流後世，咸共弘通」，更在大眾面前「發誠實誓」，如果翻譯的佛經沒有錯，那麼「當使焚身之後，舌不焦爛」。弘始十一年（四〇九年），鳩摩羅什大師在長安圓寂，於逍遙園火化，果然他的舌頭在大火滅盡後依然完好無損，留下了舌舍利。

鳩摩羅什大師一生奇特坎坷，在面對生死關頭、無情摧殘，仍是具足信念、願力，真的非常可敬可佩！

（二）玄奘大師

玄奘大師為中國洛州緱氏（今河南洛陽偃師市）人，為中國佛教史上四大譯經家之一。唐太宗貞觀三年（六二九年），因為有感經典殘缺不全，發願把經典帶回中土，讓人們可以得到正確的佛法觀念，乃獨自從長安出發到印度那爛陀寺取經。

這是一個多麼單純崇高的心願！但實際去踐履的時候，才知道困難重重，甚至常常叫天天不應，叫地地不靈。在如此艱難的情況下，玄奘大師仍堅定「寧向西天一步死，不回東土一步生」。

唐朝當時的制度，不允許百姓隨便進出國門，在沒有通關證明文件之下，只得偷偷摸摸地躲避官府的查緝。好不容易從沙洲（今甘肅敦煌）出了玉門關，開始取經的旅程，此時他的胡人弟子石槃陀，擔心受玄奘的拖累，竟然起了惡心要殺害他。玄奘心意已決，不受威脅，石磐陀感到慚愧，請求師父原諒，留下瘦弱的白馬，兩人分道揚鑣，玄奘一個人獨自牽著白馬走向莫賀延磧。

據《大唐大慈恩寺三藏法師傳》中記載：「莫賀延磧，長八百餘里，古曰沙河，上

◆ 玄奘大師發願西行求法，艱難度過八百餘里的沙漠。

無飛鳥，下無走獸，復無水草。」從這一段文字，我們可以知道此地是多麼的凶險難行，而玄奘大師如何度過呢？

在沙漠中的玄奘，不分晝夜孤單的前進，餓了就隨便吃些乾糧；累了，人、馬就地躺下來休息。白天的烈陽就像烙鐵一般炙熱，高溫的狂風挾著沙礫吹來，使人眼睛張不開，連呼吸都困難；夜裡則鬼火閃爍如繁星，前後跟隨，讓人不寒而慄。此時只有觀音菩薩聖號、《般若心經》給了玄奘安定的力量。

更糟糕的是，在茫茫沙漠中，身心疲憊的玄奘口渴難耐，正想停下來喝水，結果水囊不小心掉落，沒多久水囊的水一滴也不剩了。就這樣經過五天四夜滴水未進，此時外面的環境依舊飛沙走石、酷熱難熬，口乾舌燥、頭暈目眩，最後人馬終於不支倒臥在沙堆上，奄奄一息。

在這樣生死交關的一刻，觀音菩薩聖號及《般若心經》不曾捨離，且懇切地啟告菩薩：「玄奘此行既不求財利，又不為博取名譽，但為無上正法而來。仰祈菩薩慈念眾生，以救苦為務。」一如是默念不已，到了第五天夜半，忽覺涼風觸身，通體舒暢，於是精神大振，眼睛從矇矓中乍得光明，老馬也起身而鳴。但身體的確太疲累了，玄奘竟然在這種情況下又睡著了。

睡夢中，見一護法大神，身長數丈，執戟說道：「既已立志求法，何不精進趕路，臥倒沙中何為？」玄奘聞聲驚醒，雖然身心已非常疲憊，但仍打起精神西行。大約走了十里路左右，老馬突然一反常態，發瘋似地狂奔，一口氣跑了幾十里路才停才來。映入眼簾的景象讓人驚喜不已，一大片綠油油的草原、如珍珠般發亮的甘泉，頓時所有的勞累盡消，飢渴了五、六天，如今終於可以暢快痛飲。

玄奘重新裝備好飲水和青草後，懷著無比感恩與信心西行求法。不久，人馬終於到達篤信佛法的高昌古國（今新疆吐魯番），國王麴文泰及大臣們被玄奘大願、大行之力感動，一城接一城地護送玄奘通關向前。

莫賀延磧就像是一座打鐵爐，玄奘就像一塊百煉鋼，經過莫賀延磧大冶洪爐的淬鍊，成為一把鋒利的寶劍，可以斬斷自己的無明煩惱，也可以去除世人的愚痴無明。也就是說，玄奘已經脫胎換骨了，多大的困難挑戰也無所畏懼了，縱然要通過高聳入雲、終年積雪的蔥嶺（今帕米爾高原），也是義無反顧、一往直前，終於抵達古印度，到了那爛陀寺向戒賢論師學習。

玄奘大師在貞觀十九年（六四五年）回到長安，請回佛經梵典六百五十七部。其後，在唐太宗的支持下，於長安大慈恩寺設譯經場，與弟子等人專心翻譯所帶回的佛典。譯出《大般若經》、《心經》、《解深密經》、《瑜伽師地論》、《成唯識論》等經論，共七十五部、一三三五卷，數量之高，堪稱譯師之首。

◆ 中華人間佛教聯合總會至西安大慈恩寺朝禮參訪，後方為大雁塔。

我們從前面佛陀的「若不證道，誓不起此座」，談到富樓那尊者勇於到邊地弘法，不畏刀棍石頭，以及目犍連尊者勇於殉道的精神。又舉鳩摩羅什大師面對折磨汙辱，也要弘揚大乘佛法於中土；還有玄奘大師的「寧向西天一步死，不回東土一步生」的求法精神與毅力。如此看來，他們不都是突破困境，名聲天曉的最佳典範嗎？

三、星雲大師的成功

從佛陀、佛陀的弟子、歷代高僧大德的人格特質，我們可以看出，他們無論遇到多大的挫折困難，依然會勇往直前，最後突破困境，受人敬仰。星雲大師何嘗不是？

（一）面對無情無理的教育

大師十二歲出家，早年在寺院叢林接受嚴格的僧伽教育。十五歲那年，他在棲霞山受三壇大戒，報到當天，戒師對所有新戒進行口試，了解是否有受戒的資格。三位戒師輪流問大師同樣一個問題：「你來受戒，是師父叫你來的？還是你自己發心要來？」

第一次回答：「弟子自己發心來的！」被戒師拿起楊柳枝一頓抽打，心中起了疑惑：「奇怪，我錯在哪裡？」這時戒師說：「你很大膽，師父沒有叫你來，自己就敢來受戒。」

因為有了剛才的經驗，第二次回答就謹慎多了：「是師父叫我來的！」結果又被戒師打了一頓。「豈有此理，假如師父沒有叫你來，你就不來了嗎？」戒師如是責問。

因為已經被打過兩次，第三次回答很符合中庸之道：「戒師慈悲，弟子來此受戒，是師父叫我來，我自己也發心要來。」哪知戒師仍然拿起楊柳枝一陣抽打，然後責怪地說：「你說話模稜兩可，真是滑頭。」

接下來，後面三位戒師的問話改變了：「你殺生過沒有？」殺生是嚴重的犯戒，因此大師毫不考慮的回答：「我沒有殺生！」哪知戒師毫不客氣的往頭上抽打，然後反問：「你平時沒有踩死過一隻螞蟻，沒有打死過一隻蚊子嗎？你這是打妄語啊！」

因為才被打過，下一位戒師問話時就當下承認：「弟子殺過！」「你怎麼能殺生呢，真是罪過！罪過！」每說一句罪過，都要打上好幾下的楊柳枝。到了第六位戒師，他還沒有開口，大師就把頭伸出去，說：「老師，你要打就打吧！」

經過面試，允許你受戒以後，接下來就要接受「打沙彌，跪比丘，火燒菩薩頭」的艱苦考驗。也就是在求受沙彌戒的時候，戒子必須習慣於棒喝教育，忍受委屈，即使你有理由，也要打得你沒有理由。在無理之下，你都能低頭、能接受，出家人的性格就能逐漸養成，法身慧命就自然增長了。

當你的理被打掉了以後，你的內心是清淨的，已經堪受佛法的薰陶，為了讓你知道佛法得之不易，所以要恭敬跪著聆聽佛法，因此會說「跪比丘」。過去叢林裡，受比丘戒的時候，經常要長跪，跪好幾個小時，跪到最後，雙腿都痲痺了，幾乎感覺不到腿子的存在。這種教育，是訓練出家人求道的耐心及求法的毅力。

至於「火燒菩薩頭」，就是在求受菩薩戒時，要在頭上燃點戒疤，這是含有「燃身供佛」的意思。相信佛不需要我們燃燒身軀來供養他，重點在養成「捨身救人」的情操，善待一切有情眾生。

因此星雲大師在《合掌人生．苦行》一文說：「所謂『有理三扁擔，無理扁擔三』，這種『以無理對有理，以無情對有情』的教育，就是要把你『打得念頭死』，然後才能『許汝法身活』。當初我心中雖有不服，但後來確實感覺到，這樣的訓練，讓一個人在無理之前都能委屈服從，將來在真理之前，還能不低頭接受嗎？」

星雲大師十五歲的時候，就能接受如此嚴苛的考驗，相信這種養成教育，造就他往後弘揚人間佛教時，不論面對多大的挫折困難，都能舉重若輕、一一化解的重要因素。

（二）信守承諾永不退票

一九四九年，大師負責領導「僧侶救護隊」來到台灣。在舉目無親、孑然一身、毫無分文、不懂台語，還被誣陷入獄二十三天，大師是如何面對這些苦難呢？

這個「僧侶救護隊」，其實是大師的師兄智勇法師所組織的，正準備啟程來台灣時，智勇法師忽然放棄此行動。大師覺得既然找了那麼多人，怎麼可以半途而廢呢？所以就這樣臨危受命、直下承擔，來到人生地不熟的台灣。此種精神不就像富樓那尊者勇敢前往輸盧那國、鳩摩羅什大師義無反顧前往中土、玄奘大師深入沙漠前往西天取經嗎？

大師來到台灣後，幾經漂泊，居無定所，加上沒有入台證，無法居留，幸經前內政部部長吳伯雄先生的尊翁、時任警民協會會長吳鴻麟老先生出面作保，順利報了戶口，取得居留證，才得以獲准留台。

但當時政府聽信廣播，說大陸派遣五百位僧侶到台灣從事間諜工作，因此大師和一百多位來自大陸的僧青年，不分青紅皂白的被關了起來，其中包含了慈航法師及律航法師，就這樣被拘押了二十三天。最後幸賴孫立人將軍的夫人孫張清揚女士、曾任台灣省主席吳國楨先生的父親吳經明老先生，以及立法委員董正之先生、監察委員丁俊生先生等人營救，才把大師等人從鬼門關前拉了回來。

雖然大師他們沒有受到刑求傷害，但在這樣恐怖不安的時代，一般的道場自然不敢接受來自大陸的僧青年掛單。在這樣朝不保夕、生存艱難的情況下，許多有為的僧青年就這樣流失了，而大師仍然保持著「富貴不能淫，貧賤不能移，威武不能屈」的節操，不忘為僧的初衷。相信這都和當初心甘情願接受無情無理的考驗有關，正如大師所說「一個人在無理之前都能委屈服從，將來在真理之前，還能不低頭接受嗎？」

（三）面對問題勇於承擔

也因為大師從小就養成面對問題、勇於承擔的性格，所以剛來台灣弘法的時候，雖然碰到許多挫折困難、橫逆打擊，大師都發揮智慧勇氣一一克服。例如有一次大師到桃園龍潭弘法，警察卻命令將聽眾解散。大師對警察說：「是我找大家來聽經的，我怎麼能宣布解散呢？你要解散，那你自己上台去宣布。」警察回答：「不行，我怎麼能講？」大師告訴他：「既然你不能講，那就讓我上去講，講完了，大家自然就會解散。」警察無理可辯，只得讓大師繼續講經。

當時台灣正處於戒嚴的時代，是不允許群聚的，平日還會查戶口；要到其他地方弘法，還必須到警察局登記才可以前往。一般百姓都很怕得罪軍警，唯恐被羅織罪名，但大師卻敢理直氣壯地面對他們，真是了不起。

還有一次，大師在花蓮弘法，警察以沒有事先申請為由，強行取締，大師當即表示：「我在台北弘法都沒有申請過，花蓮是什麼化外之區？」由於台北是台灣的首府，在四、五十年前，從台北來的人都被視為有來頭的人，所以對方一聽也愣住了，大師又獲得小小的勝利。類似這樣的「問題」不知凡幾，但都因為大師「不退縮」，智取而不力奪，所以總能迎刃而解。

一九六四年，大師在高雄鼓山創建壽山寺，也是阻礙重重。首先是警察局將壽山公園通往壽山寺的路砌成一層一層的階梯，目的不讓汽車到寺院裡來。大師也不客氣找來工人改成斜坡，警察獲得通報馬上跑來取締。大師正在樓上主持皈依典禮，從窗口一眼望去，連忙停止儀式，下樓與警察交涉：「昨天蔣夫人到壽山寺後面的婦女習藝所參觀，就是因為你們做成階梯，讓車子不能上來，她只好下車走進去，萬一走這一段路發生了危險，你們擔當得了責任嗎？」警察一聽，事關蔣宋美齡的安危，馬上答應讓大師鋪成斜坡。

凡此種種無理要求、無端生事的故事相當多，不但初期的弘法如此，建了佛光山以後也是，到世界各地建寺安僧也一樣不勝枚舉，但大師面對問題，沒有退卻，反而以智慧、勇氣解決困難問題，相信這是大師「名聲天曉」的原因之一。

四、成功人士的特質

接著我們來一起來研究「成功人士」，是不是都有那種突破困境、勇往向前的性格，最後春暖花開，名聲天曉？

（一）刺股苦讀的蘇秦

蘇秦是戰國時期的人，師從鬼谷子，學成之後，出遊數載，卻一無所成。原希望秦惠王能夠答應他做官，接受他的意見，但是秦王不但不答應反而冷落他，結果盤纏用罄，狼狽而歸。

返家之後，妻子當作沒看到他，嫂嫂不為他煮飯菜，父母不跟他講話。蘇秦就很感嘆說：「妻不以我為夫，嫂不以我為叔，父母不以我為子，是皆秦之罪也！」因此發憤圖強，立志苦讀，研究兵法。

他閉室不出，苦讀太公《陰符》，每逢睏乏欲睡，他便用錐子自刺其股，讓自己清醒，再繼續讀書。蘇秦學成後，以「合縱」主張，遊說齊、楚、韓、趙、魏、燕六國聯盟，並佩戴六國相印、統領六國的軍隊，使得強秦十五年不敢出函谷關。

蘇秦的引錐刺股，認真苦讀，最後功成名就，真的算上「不經一番寒徹骨，焉得梅花撲鼻香」。

（二）來自苦難的「貶謫文學」

文學史上，有一種文學叫做「貶謫文學」，這些偉大的作品都是在作者人生遭遇重大挫折時候才寫出來的！例如——

戰國的屈原，因讒言被貶，作了〈離騷〉。

中唐的韓愈，因為諫迎佛骨被貶至潮州，作了〈祭鱷魚文〉。

中唐的柳宗元，因為「王叔文案」被貶至永州，作了〈永州八記〉。

中唐的白居易，因得罪權貴被貶至江州司馬，作了〈琵琶行〉。

中唐的劉禹錫，因為革新失敗被貶，作了〈陋室銘〉。

北宋的蘇轍，因為其兄蘇軾的「烏台詩案」受連累而被貶至筠州，作了〈黃州快哉亭記〉。

又以蘇東坡來說，四十四歲被貶謫黃州，四十七歲那年，是他創作的高峰，如三月的〈定風坡〉、四月的〈黃州寒食詩帖〉、七月的〈念奴嬌．赤壁懷古〉、〈前赤壁賦〉、九月的〈臨江仙．夜飲東坡醒復醉〉、十月的〈後赤壁賦〉，都是擲地有聲的作品，真是讓人歎服。

此時期蘇東坡不只在文學上是創作的高峰，其關懷救度百姓的菩薩心腸也讓人感動萬分。他以待罪之身在黃州生活，發現當地有「溺嬰」的惡俗，自己都朝不保夕、三餐不繼，卻見義勇為，建議鄂州太守朱壽昌禁止「溺嬰」，還傳授在密州照顧棄嬰的經驗，成立一個「育兒會」照顧嬰兒。自己雖囊中羞澀，一樣捐錢贊助。

宋朝白雲守端禪師有這麼一首詩：

若能轉物即如來，春至山花處處開；
自有一雙慈悲手，撫得人心一樣平。

◆自有一雙慈悲手，撫得人心一樣平。

「若能轉物即如來」，人的一生不可能都是一帆風順，碰到困境的時候就要學習轉念。轉念的當下，其實你就是佛！轉念之後，心胸自然開闊、心情歡喜愉悅，任何不順遂的事情，看起來都無關緊要了，就像冬去春來，百花盛開，處處都是美景啊。

當你能夠體悟這一層道理，你已經懂得泯除人我的對待、達到物我兩忘的境界，眾生就是你，你就是眾生，你能夠平等對待眾生，此時升起的無緣大慈、同體大悲之心，不就是「自有一雙慈悲手，撫得人心一樣平」。

所以，當我們遭遇挫折，千萬不要埋怨，而要觀照內心，以實際的行動去面對阻礙、克服難關，自然也能寫出感人肺腑的醒世文章。古人如此，今人亦如是也！

（三）體育健將奮起飛揚

對體育運動來說，球員都是歷經失敗，咬緊牙根努力苦練，最後才能獲得成功的果實。

1. 陽岱鋼犧牲享受，享受犧牲

在棒球運動中，有一個我很欣賞的球員叫陽岱鋼，他有日本「高中第一游擊手」、職棒時期「第一中外野手」的封號，還在二〇一二到二〇一四年，及二〇一六年，獲選日本職棒外野手金手套獎，在二〇一三年以四十七次盜壘成功紀錄，獲得太平洋聯盟盜壘王，二〇一四全年更打出二十五支全壘打。

他為何能有這麼多的佳績？為何可以成功？且在國際重要棒球賽中，擊出關鍵一球，為台灣爭光奪采？

陽岱鋼國中畢業，進入日本福岡第一高校就讀時，教練就跟他約定，想進職棒，就要遵守「不能放假、不能帶手機、不能交女朋友」，若不願意，教練便不會教他，他可以馬上離開。

打坐參禪有一句話「制心一處，無事不辦」，他的教練運用此觀念來要求他，目的減少不必要的外緣，方能專心於訓練，這一點他做到了。不過日本教育非常嚴格，且有學長、學弟制，因此常被無理要求、打罵，他也忍耐下來，因為他要成為職棒選手！

二〇〇五年，他以「高中第一游擊手」封號，加入了日本職棒火腿隊，但是卻在二〇一〇年被教練從游擊手轉去守外野。他本來是全日本最厲害的高中游擊手，結果當了火腿隊五年的游擊手，竟然沒有進步，所以教練將他換到外野手。他當然不願意，就與教練交流溝通，希望給他機會思考，教練同意了。經過一天的思考，他說服自己，既然自己作為游擊手沒有辦法提升，就好好地把外野手做到最好！

游擊手和外野手是截然不同的兩個位置。游擊手失誤有外野手補位，但外野手後面沒人能補位，也就是你沒有退路了。所以，他開始研究每一個球隊的投手如何投球、每一個打擊手怎麼打球，漸漸熟悉投手的投球習慣，了解打擊手揮棒的方式，因而常能夠打出很好的成績，也很精準判斷出對手擊球的落點位置，變成一個很稱職的外野手。所以，體育運動不是一個四肢發達的活動而已，它還是要靠頭腦！

為了保持身體最好的狀態，在球季結束的時候，他堅持每天要訓練三至四個小時，而且一旦喝了自己最喜歡的珍珠奶茶，馬上就要跑步一小時來消耗熱量。

從陽岱鋼的成功故事，給了我們啟發，你想成功嗎？如果你沒有這種衝勁跟精進的力量，要成功恐怕不容易。同時你要成功，不但要忍氣、忍苦、忍饑，還要懂得轉變觀念、改變自己，才有成功的可能。

2.「梅花香自苦寒來」的普中女籃

二〇一六年，我們普門中學女子籃球隊進入一〇四學年度HBL高中籃球聯賽前四強，球員個個精神抖擻，摩拳擦掌，準備一展身手，贏得最好的成績。但天不從人願，在比賽前一天竟然食物中毒，當晚住院的住院、打點滴的打點滴。第二天比賽之前仍非常虛弱、體力更是大量下滑，因而有人建議放棄比賽。

但是，球員都不肯放棄，因為這是一年一度的盛事，這是多少努力換來到台北小巨蛋比賽的榮耀，這些十多歲的小女生，能夠講出這樣的話，實在讓人很感動！所以三好體協及學校決定還是讓她們上場！

比賽時，果然麻煩的問題出現了，一個是體力不繼、一個是肚子痛，教練常常中途喊暫停，讓她們去上廁所，然後回來繼續打球。就這樣子來來去去、去了又來，這種永不放棄的精神真的讓人動容！雖然他們以第四名坐收，但卻是大家心目中的第一名，當她們回到普中的時候，全校師生列隊在校門口歡迎她們的歸來。

這一群年輕的球員，沒有洩氣，回到學校更加努力苦練，誓言明年一定要奪冠！果然在一〇五學年度的 HBL 高中籃球聯賽，再次成功進入前四強。但其實到了四強，各隊的實力相當，如何訓練才可以更加的突飛猛進、實力倍增？此時三好體育協會會長賴維正居士，也是佛光山的榮譽功德主，提出送球員到日本移地訓練。

由於距離決賽只剩下一個多月，球隊也來不及思考日本二月是冰天雪地，溫度是零下十幾度，隨即帶領球員前往山形縣的訓練基地。由於此地屬於日本北部，氣溫比東京寒冷許多，更讓人料想不到的是，室內體育館竟然沒有開暖氣，人好像置身在冷凍櫃裡面。

當我知道這樣的情況後，開始為球員擔心，我們的球員受得了這樣酷寒的環境嗎？但人的潛力無窮，一個不可思議的效果出現了，球員的體力突然變好了，人人燃燒自己心中的小宇宙，力求最好的表現，如此才不會被教練換下場。不像以前，叫她們多練一些、多跑一些、多打一點，就會抱怨受不了、哭喊沒有辦法了！

也因為這樣，以前打到第三節就快沒力氣了，現在打到第四節體力都還很充沛，反而對手開始沒力氣！終於我們普中女籃榮獲一〇五學年度 HBL 女子組冠軍，回到

普門中學
中華民國一〇五學年度高中籃球甲級聯賽女生組冠軍
HBL
中華民國高級中等學校體育總會
冠軍
中華民國一〇五學年度高中籃球甲級聯賽女生組冠軍

◆ 普中女籃呈獻冠軍錦旗

學校以後，球隊特別呈獻冠軍錦旗給敬愛的師公，感謝大師一路的支持和關心！

《警世賢文》有云：「寶劍鋒從磨礪出，梅花香自苦寒來。」還有我們常聽到的「吃得苦中苦，方為人上人」，雖然都是老生常談的話，但卻是成功的不二法門，很高興普中女籃體會這些話的意義，且劍及履及的苦練，才能享受這個甜美的果實。

最後，我以佛光山大雄寶殿後面的「百人碑牆」上，明朝唐寅所寫的一首詩偈和大家結緣：

姑蘇城外古禪房，擬鑄銅鐘告四方。
試看脫胎成器後，一聲敲下滿天霜！

寒山寺最負盛名的一首詩，當屬唐．張繼〈楓橋夜泊〉，但明．唐寅〈姑蘇寒山寺化鐘疏〉文末的這首偈語，更將「名聲天曉」的意涵淋漓盡致地表達出來。

明朝嘉靖年間，本寂禪師修葺寒山寺，同時要重鑄一口鐘，特別商請唐寅撰寫化緣鑄鐘的疏文，最後以這首偈語作為總結，提到寒山寺準備要鑄鐘，請十方大眾共同玉成。接著說，一口鐘的完成，要經過大冶洪爐的千錘百鍊，方能脫胎換骨，等到鑄造成型，犍槌敲打下去，抖落一身的霜寒，振聾發聵的鐘聲傳遍寰宇，驚醒世人的迷夢。

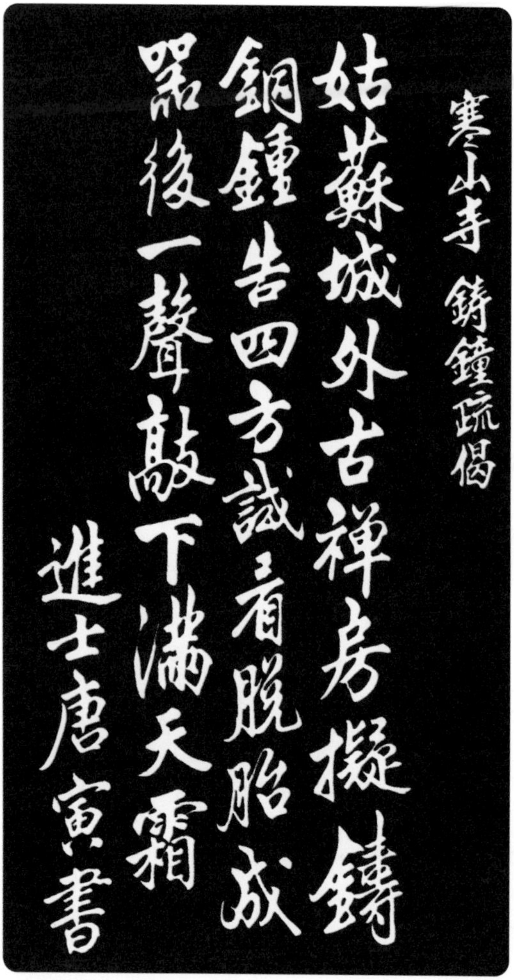
寒山寺 鑄鐘疏偈
姑蘇城外古禪房擬鑄
銅鐘告四方識看脫胎成
器後一聲敲下滿天霜
進士唐寅書

◆ 佛光山百人碑牆之〈寒山寺 鑄鐘疏偈〉

此首詩偈真是妙語天成，不但講出鑄鐘的緣起和意義，同時又承接張繼的「月落烏啼霜滿天，江楓漁火對愁眠。姑蘇城外寒山寺，夜半鐘聲到客船」的文氣，唐寅不愧是「江南第一風流才子」。

星雲大師在《金玉滿堂．佛光山名家百人碑牆》如是說明：「這首詩偈是藉鑄鐘，以喻世人要經得起人事磨鍊，才能成功，福蔭大眾。人生有許多考驗，即使一路崎嶇嶇，也要勇往前去；縱然沿途風風雨雨，也要不畏艱難，因為唯有驚濤駭浪，才能磨鍊出好舵手；唯有橫逆挫折，才能看出真本領。如能心懷慈憫，淑世利人，則成功更具價值。」

我們看到前面所列舉的佛陀、弟子富樓那尊者、目犍連尊者、中印高僧鳩摩羅什大師、玄奘大師、承繼如來人間佛教理念思想的星雲大師，及古今人物的蘇秦、被貶的文人、成功的運動健將，都是具備這樣的永不放棄、突破困境的人格特質，最後聲名遠播，受人敬重。此時，不就是「雄雞一聲天下曉」了嗎？

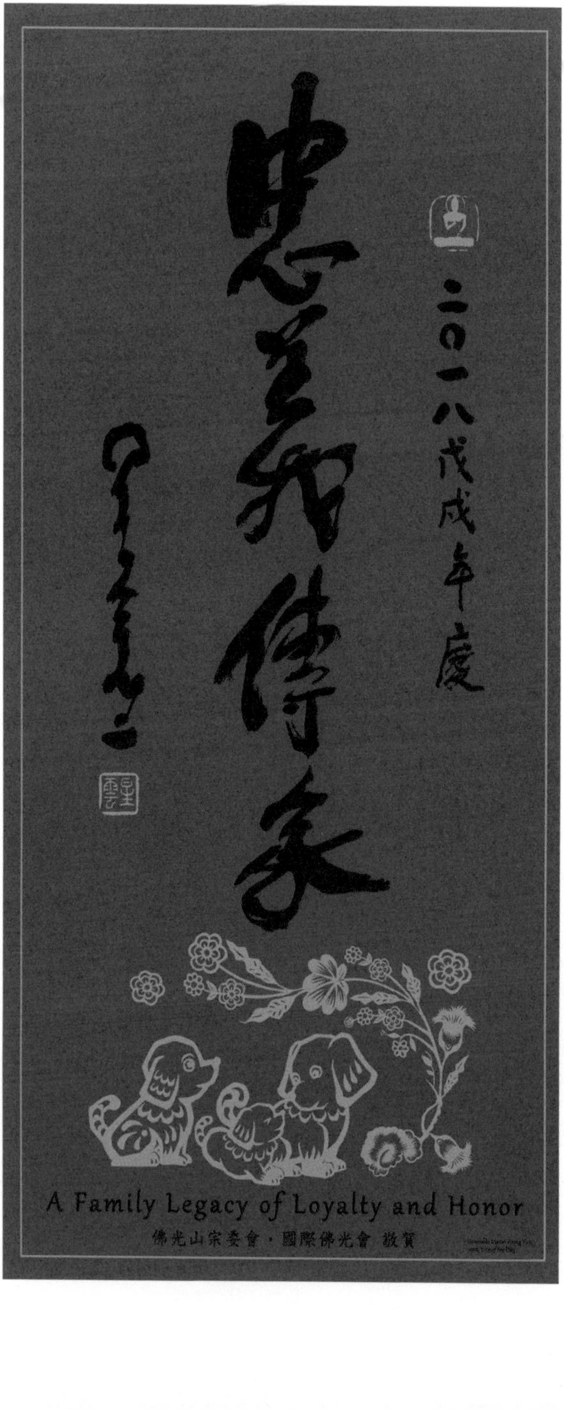
忠義傳家
二〇一八戊戌年度
星雲
A Family Legacy of Loyalty and Honor
佛光山宗委會・國際佛光會 敬賀

忠義傳家——

忠義是最可貴的情操，可為傳家之寶。

在動盪不安、朝不保夕的時代裡，
忠義之士捨身奮戰，保家護國，
歷代高僧不懼艱難，慈悲濟世，
以蒼生為念，解生民免於塗炭之苦。
人我有情義，天地有正義，社會有仁義，
我們要明白忠義，感謝忠義，實踐忠義。

十

忠義傳家，談人生的堅持

二〇一八年是狗年，星雲大師的新春賀詞是「忠義傳家」，其意義為——

「世間最可貴的情操是忠義，對上、對下都要忠義。忠於感情、忠於責任、忠於友誼、忠於領導；人我有情義，天地有正義，社會有仁義，宇宙有撫育的恩義。我們要明白忠義、感謝忠義，實踐忠義，以忠義為傳家之寶。」

根據大師的開示，我訂下「忠義傳家，談人生的堅持」，並分為四點來說明：

一、自古忠義之士有多少？

二、佛門忠義之士在哪裡？
三、大師乃忠義之士典範。
四、狗子忠義之情動人心。
接下來，根據以上四個重點，與大家分享個人心得淺見。

一、自古忠義之士有多少

大師在《貧僧有話要說．我的自學過程》說：「在棲霞山參學期中，不准外出，不准看報，佛學經文以外的書籍，當然更不可以碰觸了。但有一次在路邊，見到一本不知道誰丟棄的《精忠岳傳》小書，彩色的封面，畫著岳飛跪在地上，他的母親在他的背上刺了四個字『精忠報國』。這四字，好像觸動了我的心弦，我覺得做人應當如是。後來，我把『精忠報國』的理念用於生活，忠於工作、忠於承諾、忠於責任、忠於信仰。現在回想起來，《精忠岳傳》就是當初第一本對我啟蒙的書籍了。」

（一）「精忠報國」的抗金名將岳飛

南宋抗金名將岳飛，一一〇三年生於相州湯陰（今河南湯陰）一個農家，出生時有一隻大鳥鳴叫飛過屋頂，故取名飛，字鵬舉。

岳飛曾多次從軍，戰功赫赫。一一二六年，金兵大舉入侵中原，岳飛再次投軍，開始他抗擊金軍的戎馬生涯。民間傳說，其母姚氏在他的背上刺了「精忠報國」，以此勉勵他要終生遵奉此信條，而岳飛也不負慈母厚望，拋頭顱灑熱血，以自己的寶貴生命為「忠」字做了一個完美詮釋。

由於他一心一意想直搗黃龍，迎回欽、徽兩帝，恢復大宋江山，此想法和宋高宗有所違背，也與議和派的秦檜不相容，遂在紹興十一年農曆十二月二十九除夕之夜（一一四二年一月二十七日），被以「莫須有」的罪名殺害。孝宗時，追謚「武穆」；寧宗時，追封「鄂王」。儘管岳飛一生短暫，但其忠義精神已經長存世人心中。

安座於佛陀紀念館三十二蔬食餐廳前的岳飛銅像

而岳飛這種忠義精神如何產生呢？依我的淺見，多少和佛教有所關係。岳飛南征北討，戎馬倥傯的軍旅生涯中，閒暇之餘喜歡到各處寺廟遊覽，飽覽山川勝景，瞻仰佛菩薩莊嚴聖容，暫拋軍務，享受難得的片刻悠閒，同時書寫一些感懷紀念。如，書寫在江蘇宜興（另一說在安徽廣德縣）金沙寺寺壁上的〈廣德軍金沙寺壁題記〉，內容敘述金兀朮大軍攻到江南之時，岳飛前往抵禦，他不但不擔心緊張，還抽出時間蒞寺禮佛，充分表現了胸有成竹、抗金必勝信念，並抒發了自己的豪情壯志：「然後立奇功，卻強敵，復三關，迎二聖，使宋朝再振，中國安強，他時過此，得勒金石，不勝快哉！」一

紹興元年（一一三一年），岳飛從江蘇江陰率部隊前往江西上饒，行軍途中，路過安徽祁門東松寺，乃作題記一篇。這篇〈東松寺題記〉以優美筆調描繪該寺群山環繞，萬木蔥鬱的自然景觀，同時表達凱旋歸來時，要來和寺僧參禪論道。流露出希望遠離塵世，深入佛法，過著清淨山林生活的企盼。

〈寄浮屠慧海〉，則是岳飛在紹興十年（一一四〇年）五、六月北上征討金人時，特地賦詩寄贈江西東林寺慧海禪師，內容提到此戰有必勝的信念，功成隱退後，與古寺禪師為伴，在寧靜平和中安度晚年。

其實，還有許多詩文提到岳飛和禪師們的酬唱問答，因篇幅關係無法一一羅列。但從上述三則詩文，可以發現岳飛每到一個地方駐守或暫時紮營，都和當地的寺僧往來論說佛法，相信這些都是孕育出岳飛忠貞愛國、解救眾生苦厄的能源。

另外，在鎮江金山寺大雄寶殿外牆上，有六個圓形的窗雕，其中一個是〈道悅與岳

飛圓夢〉，敘述岳飛大破朱仙鎮，準備乘勢北伐征討，收復河山，卻被奸臣秦檜以十二道金牌從戰場召回，路過金山寺所發生的故事。

當岳飛返回京城臨安途中，路過鎮江，拜訪金山寺道悅禪師，同時問道：「昨日路過瓜洲（今江蘇揚州），在驛站休息，做了一個怪夢，夢到兩隻黑狗在講話。又看到兩個人光著膀子，立在旁邊。正在奇怪，忽然揚子江中狂風大作，白浪滔天，江中鑽出一個怪物，似龍非龍，望著我們迎面撲來。」

道悅禪師回答：「兩犬對言，豈不是個『獄』字？旁立兩人，表示同受其禍。江中風浪，湧出怪物撲面而來，表示有不可預測的風波。元帥此行，恐牢獄之災，務必謹慎。」一陣對談結束，臨去時，道悅禪師口中念道：「風波亭上浪滔滔，千萬留心把舵牢。謹避同舟生惡意，將人推落在波濤。」又說：「歲底不足，謹防天哭；奉下兩點，將人害毒。」

這兩首詩已經清楚告訴岳飛不要回京，但是忠心耿耿、光明磊落的岳飛哪裡聽得懂禪師的深意？且也料想不到，宋高宗和秦檜會對他這樣赤膽忠心、報效朝廷的臣子下毒手。直到岳飛被誣下獄，才明白道悅禪師的話語玄機。那年的十二月只有二十九日，當天晚上又下起雨，正是「歲底不足，謹防天哭」；而「奉下兩點」是秦檜的「秦」字，後來岳飛真的在這天被秦檜害死在風波亭，不幸應驗了道悅禪師的警語。秦檜得知此事後還派人捉拿道悅，想不到禪師也已預知，先一步坐化了。

岳飛精於韜略，善於運籌帷幄，博採眾謀，團結民眾。行師用兵善謀機變，作戰指揮機智靈活，不拘常法，強調運用之妙，存乎一心；嚴於治軍，重視選將，賞信罰明，愛護士卒。其軍以「凍死不拆屋，餓死不擄掠」著稱，常能以少勝眾。金軍嘆稱：「撼山易，撼岳家軍難！」

岳飛雖冤屈而逝，但他一心為國、毫不顧己，高尚情懷光風霽月，值得後人永遠緬懷。我們也相信他的忠義精神，以及治軍的嚴明，多少和佛門有所關係。

（二）「滿門忠烈」的楊家將

除了岳家軍的忠義故事一直在民間流傳，可與之媲美是楊家將的忠烈精神。話說北

◆ 自古多少忠義之士英勇抵抗外敵，保家衛國。

宋名將楊業，英勇無敵，屢立戰功，但在一次征討遼軍時，陷入孤軍作戰，最終被俘，三日不食而亡。其子楊延昭繼承父志，繼續抗遼，亦多次取得戰功，並駐守邊疆二十年，保衛大宋邊境。宋真宗曾讚揚他說：「延昭父業為前朝名將，延昭治兵護塞，有父風，深可嘉也。」

北宋大中祥符七年（一〇一四年），楊延昭病逝軍中，終年五十七歲，河朔（今山西、河北和山東部分地區）之人望著延昭靈柩痛哭流涕，悲聲直上九霄。楊延昭去世後，他的兒子楊文廣亦從軍，馳騁疆場，加入了保衛大宋國土的行列，可以說，楊家是「滿門忠烈」。

以上是《宋史》的記載，至於民間傳說的佘太君、武藝高強的穆桂英，及十二寡嫂等楊門女將前仆後繼、忠心報國、犧牲性命的偉大事蹟卻沒有記載，為何呢？可能，千百年來受到北方外族侵擾，百姓們多半希冀聖君賢相、忠臣良將，發揮忠義精神，捍衛河山，讓黎民百姓過著幸福安樂的生活。因而有了民間更廣為流傳的《楊家將演義》：楊業戰死了，繼而有楊延昭、楊宗保、楊文廣繼承遺志繼續戰鬥；男人犧牲了，佘太君、穆桂英等女將繼承遺志繼續戰鬥；主人戰死了，楊排風等家丁、丫環奮勇殺敵繼續戰鬥……。這一類的稗官野史，透露出黎民百姓對和平的渴望！

（三）「留取丹心照汗青」的文天祥

宋亡後，「宋末三傑」之一的文天祥，於五坡嶺（今廣東海豐）兵敗被俘，被元軍俘至大都（今北京）。忽必烈親往勸降，文天祥寧死不屈。元軍就把他的妻子兒女抓過來，逼著他投降，然後跟他說：「如果你願意投降，就可以享受榮華富貴，你的妻子兒女，我們也會全數釋放。」文天祥不受動搖。

後來忽必烈又想到一個辦法，找到當時投降的宋恭帝來勸降。「你心中本來就是向著宋朝，宋朝的皇帝都已經投降了，你幹嘛不投降呢？」文天祥仍不為所動。最後，元軍也不知道該怎麼辦，只好將他處死。

其妻歐陽氏為他收屍，在衣帶中發現贊詩，上面寫著「孔曰成仁，孟曰取義，惟其義盡，所以仁至。讀聖賢書，所學何事，而今而後，庶幾無愧。」此話和〈過零丁洋〉詩中所說的「人生自古誰無死，留取丹心照汗青」，都是勉勵自己要保有忠君愛國的思想。直至生命的最後，文天祥仍能堅守忠義，這就是在心中有偉大的力量，才有辦法表現這樣的氣節與情操。

當然歷代以來忠義之士很多，他們有一個特點，忠孝不能兩全的時候，他們寧可犧牲自己，也要以國家民族大義、黎民百姓安危為優先，因而受到千秋萬世的人民所敬仰。

二、佛門忠義之士在哪裡

佛門的忠義之士，這裡想舉佛陀及摩訶那摩王的故事為例。星雲大師的《釋迦牟尼佛傳》有一章節〈迦毗羅衛城的悲運〉，略為闡述了佛門的忠義觀。

（一）親族之蔭，更勝餘蔭

由於迦毗羅衛國的人曾羞辱過年幼的琉璃太子，因而埋下了仇恨的種子，當琉璃太子掌握了憍薩彌羅國的大權，便開始了瘋狂的報復計畫。

當要征討迦毗羅衛國的風聲傳出後，釋迦族人異常恐慌，佛陀知悉後，清楚明白這是迦毗羅衛國人民共業的惡果，但此地畢竟是自己的祖國，仍要盡最大力量化解此劫。因此，佛陀獨自離開大眾，一個人前往琉璃王軍隊必經的道路，然後在路邊的一棵枯樹下靜坐。

琉璃王的大軍一到，看到佛陀在枯樹下靜坐，不得不勒令部隊停止前進，同時勉強

◆ 佛陀行化圖〈端坐路中救族人〉

下車說道：「佛陀！那邊的山上有枝葉繁茂的大樹，坐在那邊才蔭涼，這棵大樹已枯萎凋零，坐在這兒被太陽晒，非常不好。」

佛陀威嚴地回答琉璃王道：「你說得不錯，但是，親族之蔭，更勝餘蔭。」

勸說不成的琉璃王只好暫時退兵。不久後，琉璃王再次帶兵征伐迦毗羅衛國，途中又遇到佛陀坐在枯樹下，只得回軍；第三次琉璃王再出兵時，佛陀還是坐在枯樹下，也不得不再次下令回軍。當琉璃王第四度出軍時，佛陀知道釋迦族共業的果報不可避免，只得無奈離開。

佛陀憂戚的面容，弟子感受到了。目犍連尊者想憑自己的神通，發起保衛迦毗羅衛國的運動。當琉璃王包圍了迦毗羅衛城，目犍連先以神通力營救城中的人民，用鉢盂盛裝五百位釋迦族人從天空出來。但出城後一看，五百人全部化為血水，這時目犍連尊者才真正覺悟到，佛陀所說的因果法則不可違背，神通是敵不過業力的。

（二）纏髮樹根，自溺救人

〈迦毗羅衛城的悲運〉一文中，還提到摩訶那摩王的英勇事蹟。

受到攻打的迦毗羅衛城，由於敵眾我寡，攻勢猛烈，釋迦族漸感到不支。城池被攻破以後，琉璃王殘暴的大肆殺戮。

國王摩訶那摩（佛陀的堂弟）不忍子民受到酷刑慘死，莊嚴地對琉璃王說：「名義上你總是我的孫子，希望你看在這個情面上，不要屠殺和你多少有一些關係的百姓。如果真的要殺，讓我潛到水底去，然後給他們逃命，等我從水底浮上來時，來不及逃的，你再殺吧！」

琉璃王大笑著說道：「好，我答應，你就下水去吧！」當摩訶那摩潛入水中時，琉璃王當即下令讓大家逃命。逃命過程大家相互推擠，奔走呼號，有的跌倒，有的從別人身上踩過，悽慘的現象真不忍目睹，但琉璃王卻覺得好玩。當人數越來越少時，琉璃王才覺得奇怪，摩訶那摩怎麼在水底那麼久？

琉璃王命令士兵潛到水裡了解情況，他浮出水面回報道：「啟稟大王！摩訶那摩王永遠不會上來了，他將頭髮纏縛在樹根上，自溺而死！」殘暴的琉璃王，這時才黯然說不出話。

佛陀為了自己的國家，寧可受到大太陽的曝晒，延遲迦毗羅衛國子民被屠殺；摩訶那摩王為了子民的安危，寧可用頭髮綁住水底的樹根，犧牲自己的生命，讓釋迦族還能留存於世，此種慈悲精神，不正是我們佛門忠義的典範嗎？

（三）歷代高僧，護國衛民

不但佛陀會保家衛國、救度眾生，其實歷代高僧大德也都追隨佛陀腳步，同樣以蒼生為念。如：

五胡十六國時期的佛圖澄不忍生靈塗炭，杖策軍中，循循善誘殺人如麻的石勒、石虎兄弟，救了多少生靈。

北魏的曇曜除了開鑿雲岡石窟，還發大悲心設立供應無缺的僧祇戶、僧祇粟，讓飢民因而免於災難。

唐朝的明遠大師種植松杉楠檉檜等一萬株，消除泗州水患，與郡守蘇遇等，創「避水僧坊」，解生民免於塗炭之苦。

唐朝安祿山叛變，兩京板蕩，情勢危急，荊州開元寺的神會，號召教界以發度牒來籌募款項，解決了軍資的問題。

一九三七年，中日戰爭爆發，政府西遷，南京淪陷，日軍屠殺，處處哀鴻遍野。時值天寒地凍的隆冬，南京棲霞山寺監院寂然上人及職事志開上人（星雲大師的師父）等，發起成立「難民收容所」，集合全寺數十僧眾及佛教義工之力，每日施粥供給數萬難民。在糧食快用盡的時候，本來要留下來以備不時之需的黃豆，也在志開上人呼籲下，全部施捨出來，真是「割肉餵鷹，捨身飼虎」的菩薩行啊！

在動盪不安、朝不保夕的時代，這些歷代的高僧大德，能有此「人飢己飢，人溺己溺」的慈悲胸懷，他們都是佛門的忠義之士啊！

三、大師乃忠義之士典範

大師剛到台灣的時候，耶教興旺，佛教地位低落，又因台海局勢緊張，從大陸來台的佛教僧侶，三天兩頭被警察盤查詢問，甚至三更半夜也會被查戶口。加上大部分的寺院也婉拒他們掛單，甚至施捨一頓飯也不願意，真是「食無飯、眠無榻」啊。

百般無奈下，許多僧人另謀他路；一些佛教徒為了求職的方便及身家的安全，也紛紛轉信他教。在此種嚴峻的情況下，有人說：「現在佛教衰微，耶教盛行，不如改變信仰，或許比較容易生存。」大師以斬釘截鐵的口吻告訴對方：「即使佛陀現身，叫我改變信仰，我也不會跟從！」就是憑著這一股「雖千萬人，吾往矣」的決心毅力，大師冒著被抓去坐牢的危險，四處弘法，將正信佛教拓展開來。

大師這種忠於佛教、忠於信仰、不畏艱難的精神，值得我們佛教徒效法學習。其實，大師不只如此，對於信徒、功德主、佛門親家，更是有情有義的關心照顧。

（一）不要讓阿彌陀佛代替我們報恩

大師的《往事百語》有一篇〈不要讓阿彌陀佛代替我們報恩〉提到：「我一直覺得：我們不應該由阿彌陀佛代替我們報恩，而應該自我承擔這分感謝的責任。因此，凡是對佛門有貢獻的緇素大德，不一定對我個人很好，我都很樂意盡己所能來報答他們。」

如：趙茂林居士常到佛寺、救濟院、大專院校佛學社團、廣播電台等處弘法，也經常到各地監獄布教，長達二十年之久。大師非常敬佩趙居士這一分度眾的熱忱，因此安排他在佛光山佛光精舍養老，往生後，又將他的靈骨安厝在佛光山的萬壽堂。

張劍芬居士是三湘才子，經常應邀為佛教撰序作詩，擬寫碑文，然而到了年邁多病時，教界竟然沒有人前往關心致意。大師知道以後，出錢為他支付洗腎費用，感謝他畢生以文字般若弘法利生的貢獻。

戈本捷居士曾參加佛教譯經工作，並且幫忙編纂《佛光大辭典》。到了晚年，大師接他們夫婦兩人來佛光精舍居住，頤養天年。

孫張清揚女士是孫立人將軍的夫人，對於佛教的貢獻非常深廣。除了搶救僧寶，免於牢獄之災；也慷慨出資，助興善導寺；變賣手飾，引進大藏經；成立書局，出版佛書；還有行走各地，講經度眾，其功勛真是多得不勝枚舉。對於台灣佛教今日的蓬勃發展，功不可沒。但自從孫立人事件後，大家避之唯恐不及，年老後，更是無人問候。大師有感於她一生護法衛教，常去探望，且在孫夫人往生以後，經家人的同意，將她的靈骨送回佛光山安奉。

張少齊居士早年來台時，曾創設建康書局，出版佛教書籍，後來又成立琉璃印經室，影印大藏經，他的琉璃精舍，經常都有諸山長老海會聚集，商討教事。《覺世

◆ 2016 年，大師邀請郜寶成居士（右）參加佛光山開山 50 週年慶祝活動。

旬刊》是他在一九五七年創辦的刊物，後來交給大師辦理。張居士可說是台灣佛教文化的源頭耆宿，但到了晚年，卻門前淒冷車馬稀。大師感念他為佛教的種種辛勞，於是在美國為他找了一棟房舍，供張老安養天年。

還有一位參加中日戰爭導致兩耳全聾的退休榮民郜寶成居士，在佛光山朝山會舘當飯頭，一煮就是二十幾年。他雖然聽不到外面的聲音，但很用心的感知周遭的一切，儘管每天前來朝山會舘用餐的人數難以計算，也不曾有人告訴他今天要煮多少米飯，但是他都能煮出數量剛好的香噴噴米飯，供養十方大眾，而且沒有耽誤過一餐飯。

海峽兩岸開放探親以後，常住體諒他的勞苦功高，幾次表示願意招待他回大陸老家省親，他卻說：「什麼家？這裡（佛光山）就是我的家，我還要回哪裡去呢？」常住更加感念，特別安排他住進佛光精舍頤養天年。

以上所提，只是鳳毛麟角的事例，限於篇幅關係，無法一一羅列大師有情有義真摯的一面，但我們可以從上述幾個例子發現，無論你是不是佛光山的信徒，只要你對佛門有貢獻，大師都會代替佛教報恩。

（二）功德主及佛門親家

大師不但對佛教有貢獻的人給予關心照顧，同時也善待佛光山的功德主及徒眾的父母雙親。

何謂「功德主」？即供養佛、法、僧三寶的施主、檀越。對佛光山的功德主們，大師還有一個很親切的稱呼：「各位頭家！」

有人問：「佛光山是怎麼建起來的？」佛光山是在星雲大師的領導下，僧信四眾，共同胼手胝足，不畏艱難困苦一點一滴建設起來的。但大師一點都不居功，反而將「成就歸於大眾、功德歸於檀那」，說這些都是佛光山海內外幾百萬的信徒們，大家貢獻智慧、宣揚佛法、布施淨財、發心作務、資源回收、熱心接引眾生，共同建造完成。

大師認為，短短數十年來，因為這些護法功德主的支持，佛光山才能有「佛光普照三千界，法水長流五大洲」的局面。為了感謝功德主的發心護持，因此定期召開「功德主會」，邀請他們回來看一看佛光山的成長，了解這一段期間，佛光山在大家的支持下做了哪些淨化世道人心的事情。

每當功德主們回山時，大師都用閩南語對大家說：「各位『頭家』（即各位老闆、各位董事），歡迎你們回來！」大師不但如此尊敬功德主們，且訂定各種功德主的福利辦法，一方面替佛教報恩，同時也讓信徒在有生之年都能享受佛教給他們的福利，讓他們都能「往生」佛光淨土。

「佛門親家」這個名詞，則是源自大師的師父志開上人。

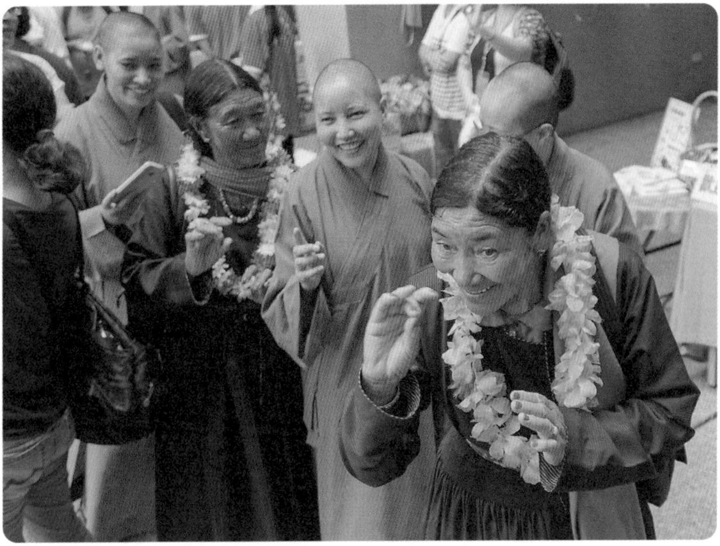

◆ 佛光親屬會，喜迎遠自印度拉達克的親屬。

大師曾說，他出家不久，師父志開上人寫信給大師的母親，感謝她讓大師出家，信的開頭寫著「親家大人慧眼」。也就是說，出家弟子的父母和佛門師長是可以成為「佛門親家」的。而大師在開創佛光山後，將這樣的理念更為延伸。

佛光山初具規模，因為國際弘法的需要，大師經常到世界各地建寺安僧，就把照顧徒眾的責任交給傳燈會，舉凡徒眾的福利、教育、功過賞罰、委屈申訴、審核晉升，乃至色身的老、病、死，傳燈會都會代表大師及常住負起照顧、輔導的責任。

為了讓佛門親家了解子女出家後的學習情況，傳燈會每兩年舉辦一次「佛光親屬會」。因為父母對於出家子女難免會掛念，藉此聯誼活動，邀請他們到佛光山來與子女相聚，了解孩子的生活及學習狀況。常住也藉此因緣向親家們報告，佛光山的宗風理念、弘法利生的方向，還有他們的子女在世界各地弘法及各個領域的傑出表現，及未來前途發展。當他們看到兒女過得安心、幸福之後，大部分的父母也就不再掛念，甚至少部分以前反對子女出家的親家，也回心轉意了。

不只如此，大師還特別指示，逢徒眾父母大壽時，常住都要備辦一份禮物，讓他們帶回俗家省親祝壽。因為孝順父母是兒女的職責，即使出家也一樣可以孝順父母。甚至徒眾父母年老無依，還會安排住進佛光山養老機構，或者百年之後，歸葬佛光山萬壽園陵墓。大師之所以有這樣的寬大心胸，乃因大師「以天下父母為我父母，以天下長者為我兄弟姊妹」啊！

從以上的說明，我們看到大師「不要讓阿彌陀佛代替我們報恩」的理念，以及各種「有情有義」的作為，這些善舉不就是忠義精神的典範嗎？

四、狗子忠義之情動人心

狗是最通人性、最忠心耿耿，也是人類最好的朋友。有時為了保護主人，犧牲生命在所不惜，牠不會因主人的貧富貴賤而有所抉擇，所以俗話說：「兒不嫌母醜，狗不嫌家窮。」茲分享幾則有關狗的忠義故事，讓讀者了解牠們的有情有義。

（一）黑虎的故事

佛光山大慈育幼院養了一條土狗名叫黑虎，因為叫聲大、很護主，常吵到佛光精舍的老人家，他們就要求把狗送走。但小朋友們很喜歡黑虎，大師和長者們溝通，但他們態度強硬，堅持送走，否則要興訟，控訴大師用狗吠聲虐待老人。

不得已，大師只好把黑虎送到熟識的道場美濃朝元寺，當家慧定法師了解原委後，欣然收留。但在情感上大師還是放不下，想到黑虎這麼盡責，我們卻無情地將牠送到百里之外的朝元寺，因而多逗留一段時間，等牠習慣環境才離開。

六、七年後，有一天大師到朝元寺，以為黑虎應該不認得他了，哪裡知道，大師才到，黑虎就認出來了，對大師萬般親熱，跟前跟後，一直用前腳扒著大師、抱著大師、黏著大師，怎麼也不肯離開。

當時的大師真是感動萬分，又覺得抱歉，黑虎這麼有情有義，我們卻將牠送走，真是對牠不起啊！

（二）狗的忠義讓人汗顏

大陸有一篇關於靈犬的報導，看了令人感觸良多。一月初寒冬的凌晨，在重慶文化宮後門的附近，一名男子想宰殺自己的狗當下酒菜。這一隻土狗感知到主人的殺意，雖沒有被拴著，但牠沒有逃跑，而是全身發抖，一臉哀戚地望向主人，希望男子能夠回心轉意！

此悲慘的場景，被當地「小動物保護協會」義工知悉，即刻前往營救，到達時，已經有不少民眾在圍觀。看到狗狗的可憐樣，很多人勸說男子不要殺了這麼通人性的狗，但男子還是說，狗養大了就是為了冬天宰了下酒補身。這時候一位保護協會的義工和男子交涉，最後以人民幣六十元為土狗贖身，男子才放了這隻與他朝夕相處的土狗一條生路。

按理說，這隻土狗應該會雀躍歡喜地感謝義工的救命之恩，然而牠卻不願離開，仍望著過去的主人。據義工描述，這隻土狗被安置在協會的收容基地，卻不肯進食，且幾天來都不吃不喝，根據義工的經驗判斷，牠還依戀著過去的主人！

（三）人不如狗

張桐與趙富因為拜在同一個中醫師門下當學徒，從小就是好朋友。長大以後，兩人各自在不同的村莊懸壺濟世，仍然維持相當好的友誼，兩家經常互相拜訪敘舊，彼

◆ 狗是人類最好的朋友，忠心耿耿，有情有義。

此的妻子、兒女也都十分親密，連兩家所豢養的狗狗也相親相愛，互有往來。

有一天，兩人因為一點細故，導致兩家從此不相往來。兩年過去了，雙方都礙於面子，誰也不肯先認錯。但是他們養的狗卻依然保持過去的情義，照樣有來有往，一起嬉戲玩耍，好像不曾發生過什麼事。張趙兩家的人也沒有去理會牠們。

一個蕭瑟的隆冬傍晚，趙家的狗子「小白」又來到張家作客，看到張家的狗狗「小黑」趾爪皮破血流，連忙用舌頭不停舔拭，一副無限愛憐的樣子。張桐看了十分感動，立即召集全家人，說道：「我們真是太慚愧了，你們看，連狗子都講究義氣，不嫌棄彼此的缺點，而我們人卻見利忘義，因為計較眼前一點的不順意，把幾十年的交情道義全都一筆勾消了！我們真是連狗都不如啊！」第二天，張桐率領全家大小拜訪趙家，從此兩家盡棄前嫌，重修舊好。

其實狗狗的忠義故事不只這些，如地震現場狗狗奮不顧身挖掘石塊，縱然趾爪受傷仍不停止；在廢墟中作業，吸入太多粉塵，導致罹患咽喉炎和哮喘也在所不惜，只為了多救一條人命。還有當主人往生，忠犬守護主人墳墓不忍離去；主人生病，狗子一直在醫院門口等候徘徊……這些狗狗忠義精神的表現，令人動容。反觀有些人卻做出欺師滅祖、背信忘義、過河拆橋的惡劣事情，此時真的人不如狗了。

佛陀當初在菩提樹下證悟時說：「大地眾生皆具如來智慧德相。」《華嚴經》也云：「心、佛、眾生，三無差別。」說明一切眾生佛性平等，從前面幾則靈犬的故事，其散發出的忠義精神，不就是一種佛心佛性的展現嗎？

所以大師提到自古以來，我們從神權、君權，發展到人權，講求人人平等，現在更應該強調「生權」，也就是倡導「生權平等」，希望一切眾生的生存權利都受到保障，彼此尊重包容、共存共榮，共享幸福安樂的生活，此時不就是一派極樂淨土的景象。

以上所說的忠義之士，只是列出幾位代表說明。其實典範人物還很多，也希望讀者能從各類文章及大師著作中，發掘更多忠義之士的感人故事，不論是高僧或英雄人物的事蹟，透過認識了解，進而效法學習他們的忠義精神，讓忠義傳家，萬古流芳！

◆ 狗子亦有佛性

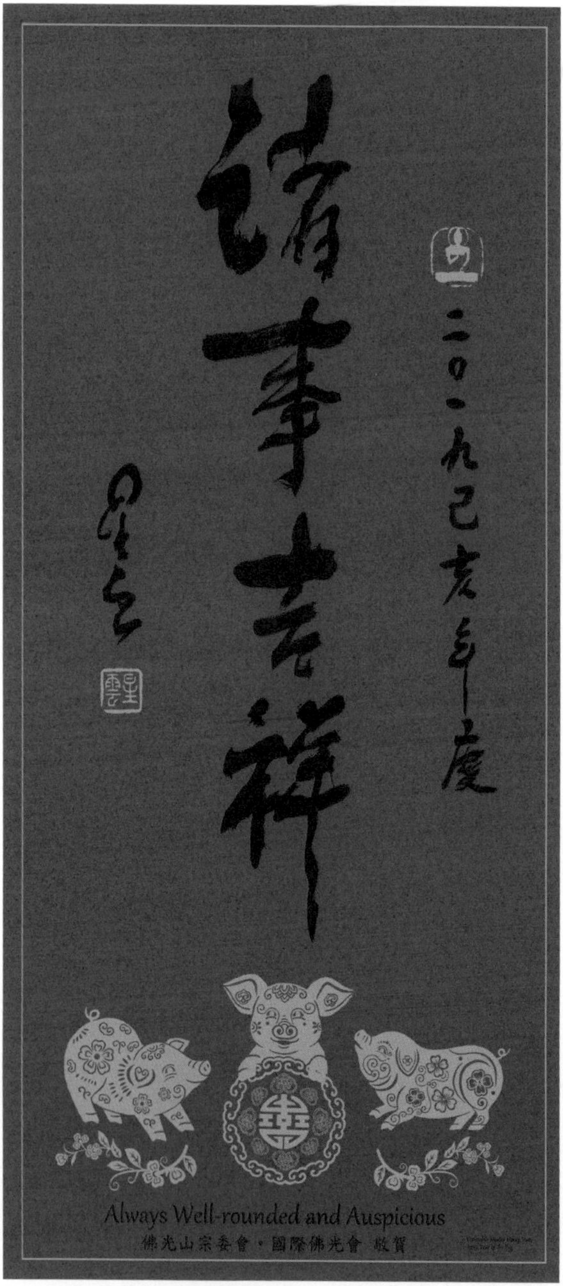
諸事吉祥
二〇一九己亥年慶
Always Well-rounded and Auspicious
佛光山宗委會．國際佛光會 敬賀

諸事吉祥——

豬者圓滿，諸者多也；圓滿如意、諸事吉祥。

佛光人互道「吉祥」，
不只是互相祝福，
也希望透過端身正意、踐履三好，
幫助親人、幫助眾生，
朝著信仰生活邁進。
如果人與人之間、人與萬物之間，
都能共生吉祥，二六時中恆吉祥，
如此，淨土在人間，人間即淨土。

十二

諸事吉祥，如何獲得圓滿如意的人生

二〇一九年大師的新春賀詞是「諸事吉祥」。大師慈示其意義：「二〇一九己亥年是豬年。豬，在十二生肖中，代表一個循環的圓滿和繼起，充滿新生的希望。豬去豕加言為諸，豬者圓滿，諸者多也，寓意著這一年，圓滿如意、諸事吉祥。」

一、關於「豬」字的意涵

要認識大師祝福語背後深意，首先我們要先了解幾個和「豬」有關的意涵。

第一個意涵——

大師在新春賀詞說：「豬，在十二生肖中，代表一個循環的圓滿和繼起，充滿新生的希望。」這一段話說明了，十二生肖排行最後一個生肖是豬，十二年「一輪」圓滿結束後，接下來要接續給「鼠」年，又將是新一輪開始，所以說是圓滿和繼起，充滿了新生的希望。

第二個意涵——

「豬」＝豕＋者，「豕」是豬的意思，「者」的本字是「煮」，表示豬的體態肥大肉多，適合烹煮，滿足人們對肉品的需要。豬在古代被列為祭祀的三牲之一，用來取悅天神，沒有災殃；加上豬的體形富態豐腴，象徵物質豐饒，人畜興旺，也寓意著吉祥如意。

◆ 豬的體態豐腴，象徵物質豐饒，也寓意吉祥如意。

第三個意涵——「豬」和「家」的關連。

「家」＝宀＋豕，是會意字。甲骨文的「家」字，外部是「冂」，表示四面有牆，上有覆蓋的房屋，後演化成「宀」；中間的部分是「豕」，表示四蹄朝左而臥的豬，是象形字，後來演化成「豬」的寫法。

早年王公貴族逝世後，一般會建一座廟，重要節日到來，宰「豕」祭祀；一般平民老百姓無法建廟，便在房屋外面擺「豕」來祭拜。不論在廟內，或在屋外祭祀，無非是祈求天地鬼神、先祖護佑大家平安、少災少難，如此的祭拜意象就變成「家」的寫法。

「家」，是我們棲息避風遮雨的住所、是我們生活安定的所在地，所以大師說：「家是人生安樂窩、家是人生避風港。」

遠古時代的祖先以捕獵維生，生活沒有保障，如果有養豬可以防糧食短缺，生活就比較安定，不用餐風露宿。所以，「宀」（房屋）裡有「豕」（豬）就成了「家」的標誌；加上豬是溫順、繁殖力旺盛的動物，除了家居有安全感外，也表示這個家是多子多孫多福氣。而「者」字，除了有烹煮的意涵，在甲骨文「者」字是通「諸」，表示眾多。

因而大師對新春賀詞的說明：「豬去豕加言為諸，豬者圓滿，諸者多也，寓意著這一年，圓滿如意、諸事吉祥。」是一點也沒有錯的。

二、說文解字話吉祥

了解「豬」的多種意涵後，接下來我們來認識「吉祥」。

（一）吉——災難蠲除，福報到來

「吉」＝士＋口，是會意字。

依照甲骨文的解釋，「口」表示祭壇的神座；「士」原意是「圭」，此圭是兩個土組成，其形狀是長條形，如同一把短劍的端玉，是古代帝王諸侯，在重要儀式時所使用的玉器。將圭放在「口」（神座）上面祝禱，表示災難蠲除，福報來到的意思。另外，「圭」證明了諸侯所擁有的領地是帝王賞賜的。一個帝王、諸侯能夠守護疆土，不受侵害，讓百姓過著幸福安樂生活，這不就是吉祥了嗎？

又，「士」為兵器，是一種有手柄的戰斧，在遠古時代，身在前線使用小戰斧的叫做「兵」；在將帥身旁的護衛使用大型戰斧叫做「士」。「口」是盛放兵器的器皿，跟「士」合起來表示——

1. 把兵器盛放在器皿中不再使用。象徵沒有戰爭，黎民百姓免受災殃。
2. 兵器安置器皿內。表示我有武器，可以抵禦外侮，不是好欺負的，人民自然心安。

◆ 羊的性情溫順，被賦予美、善等意義。

所以《說文解字》：「吉，善也，從士口。」「吉」的本義是吉祥、吉利。

（二）祥——趨吉避凶，得到祝福

「祥」＝示＋羊，是形聲字。

「示」的本字是「丅」，是象形字，指石製的供桌，也有說是神主牌位，重點在祭祀時，祈求天神、地祇、先祖指示吉凶禍福，以趨吉避凶。

《說文解字．示部》：「示，天垂象，見吉凶，所以示人也。」所以，凡與鬼神、祭祀儀禮有關的字大多有「示」。

「羊」是人類最早畜養的動物之一，性

情溫順，因此被賦予美、善等意義，也被先民列為祭祀的重要珍品。因此在傳統文化中，羊被視為一種吉祥的動物，「羊」字含有吉利的意思。

許慎《說文解字》云：「羊，祥也。」

徐灝《說文解字注箋》：「古無祥字，假羊為之。鐘鼎款識多有『大吉羊』之文。」鐘、鼎等器物上的銘文「大吉羊」就是「大吉祥」。

《尚書．伊訓》：「作善降之百祥，作不善降之百殃。」

所以，「祥」字本義為「福」，引申為「善」。

以上，不論是「豬」、「羊」的解釋，或是「吉」、「祥」及「吉祥」的說明，我們可以很清楚感受到，凡夫眾生，希望透過外在的力量、對天的祭祀，過著禳災避禍、趨吉避凶的生活，也希望獲得神明的祝福加持，讓自己和家人可以過著幸福、安樂、自在、祥和的生活。

三、「吉祥」和佛門的關係

大師在《佛法真義．吉祥》一文中說：「吉祥，就代表沒有災難，沒有災殃，一切都是美好的時刻，美好的因緣。世間上，哪一個人不希望『吉祥』呢？所以佛經裡也不斷的有『二六時中恆吉祥』，或是『晝夜吉祥』，或者『一切吉祥』的祝福語；當一個人在生活裡，時刻都吉祥了，也就不會有災難發生。」這一段話已經很清楚說明了「吉祥」的含義。

另外，《佛地經論》舉出「薄伽梵」（即「世尊」）的六種意義之一就是「吉祥」義。唐代李通玄在其《新華嚴經論》說：「云『吉祥』者，眾善所集名『吉』，眾福所加名『祥』。」

了解大師所闡述的「吉祥」意義及佛經的開導，我們知道佛教徒是很渴望「吉祥」的，但真正的吉祥是靠著外力和祈求就可獲得嗎？大師在《佛法真義．吉祥》給了我們另外的答案——

「在《吉祥經》裡，佛陀就指導了許多能夠獲致吉祥的方法。包括：『勿近愚痴人，應與智者交，尊敬有德者，是為最吉祥』、『奉養父母親，愛護妻與子，從業要無害，是為最吉祥』、『邪行須禁止，克己不飲酒，美德堅不移，是為最吉祥』、『恭敬與謙讓，知足並感恩，及時聞教法，是為最吉祥』、『自制淨生活，領悟八正道，實證涅槃法，是為最吉祥』、『八風不動心，無憂無汙染，寧靜無煩惱，是為最吉祥』等等。」

原來《吉祥經》已經清楚說明，獲得吉祥的方法是要靠著自己的進德修業、行善布施。

四、《佛說吉祥經》淺釋

所以，接下來我嘗試對《佛說吉祥經》做簡單的淺釋。此為佛教學者李榮熙居士依據《南傳大藏經》所譯出的版本，希望透過解說，讓讀者更認識如何獲得「最吉祥」。

《佛說吉祥經》 李榮熙譯

如是我聞，一時，佛住舍衛國祇陀園給孤獨精舍。時已夜深，有一天神，殊勝光明，遍照園中，來至佛所。恭敬禮拜，站立一旁，以偈白佛言：

眾天神與人，渴望得利益，思慮求幸福，請示最吉祥。

世尊如是答言：

勿近愚痴人，應與智者交，尊敬有德者，是為最吉祥。

居住適宜處，往昔有德行，置身於正道，是為最吉祥。

多聞工藝精，嚴持諸禁戒，言談悅人心，是為最吉祥。

奉養父母親，愛護妻與子，從業要無害，是為最吉祥。

布施好品德，幫助眾親眷，行為無瑕疵，是為最吉祥。

邪行須禁止，克己不飲酒，美德堅不移，是為最吉祥。

恭敬與謙讓，知足並感恩，及時聞教法，是為最吉祥。

忍耐與順從，得見眾沙門，適時論信仰，是為最吉祥。
自制淨生活，領悟八正道，實證涅槃法，是為最吉祥。
八風不動心，無憂無汙染，寧靜無煩惱，是為最吉祥。
依此行持者，無往而不勝，一切處得福，是為最吉祥。

（一）思慮求幸福，請示最吉祥。

第一段經文，說明了人、天都希望獲得吉祥。有一天，一位天神做了當機眾，特別到舍衛國祇園精舍請示佛陀，獲得吉祥的方法。

所以在隨後的經文中，佛陀慈悲地提出十一首偈頌，內容包羅萬象，有：如何交友、擇善處居、正道生活、孝順父母、善待家人、照顧親友、廣學技藝、正當事業、認真工作、受持禁戒、樂於布施、聽聞正法、道德生活，還要親近沙門、實踐佛法、證入涅槃等等。

我們從這一段經文又發現另一個議題，天人已經很有福報了，人們都要向他們祈求消災免難、天官賜福，為何天人還要請示佛陀求得吉祥的法門？因為當天人福報享盡，會有五衰現前，搞得心神不寧，身心不自在，尤其知道自己要墮落三惡道，更是痛苦不堪。所以這十一首偈頌，可以清楚看到佛陀的人間性格，也可以看出佛陀善巧引導我們，在世法與出世法之間的不二修持生活。

（二）勿近愚痴人，應與智者交，尊敬有德者，是為最吉祥。

「勿近愚痴人」不是指愚笨或智力不足的人，是指做壞事、說壞話、存惡心的人，因為這種人會誘引你走入歧途，讓你的身心受到傷害。

所以「應與智者交」，因為這種人行事正派、心性純良，慈悲有智慧，他會給你忠告、引導你向善向上，如此你才會做好事、說好話、存好心，人格才會健全。如《大寶積經》云：「能捨惡知識，親近善知識；菩提道增長，猶月漸圓滿。」

另外，我們還要「尊敬有德者」，也就是要尊敬皈依三寶、修學戒定慧三學的人，也要禮敬父母、老師和年長者，感謝他們的養育之恩、教育之恩、法乳之恩。因為他們

讓我們可以存活、讓我們增長知識、獲得智慧，知道做人處事的道理，知道信佛、學佛、還要行佛。

此外，《善生經》也有提到如何敬奉師長，及師長對我們的幫助。

以下許多偈語的解釋，會採用《善生經》的說法，其資料內容都來自星雲大師在《釋迦牟尼佛傳．善生長者歸佛化》的篇章，在此先做個說明。

「善生！弟子敬奉南方的師長，亦有五事：第一、師來時起立歡迎，善為承順其意；第二、禮讚供養，恭敬受教；第三、尊重仰戴，不違其意；第四、師有教敕，敬順無違；第五、從師明理，善持不忘。

做南方師長的亦應以五事愛護弟子：第一、順

◆ 尊敬有德者，應與智者交。

法調御，以愛教導；第二、誨其未聞，增廣知識；第三、隨其所問，令善解義；第四、示其善友，樂於交遊；第五、盡己所知，誨授不吝。師長弟子若均能如此，則彼方安穩，無諸憂畏煩惱之苦。」

佛陀真是我們最好的善知識，從《善生經》的教導可以看出，除了要我們親近善知識，遠離惡知識，還告訴我們如何去敬奉師長，同時也告訴師長要如何愛護後生晚輩，可以做到的話，當然最吉祥了。

（三）居住適宜處，往昔有德行，置身於正道，是為最吉祥。

《華嚴經》云：「四生九有，同登華藏玄門；

八難三途，共入毗盧性海。」

「八難」指「不得遇佛、不聞正法」之八種障難，其中的一難就是「生於邊地」。此邊地不是荒郊野外、窮鄉僻壤處，而是不能聽聞佛法處，縱然生長在繁華富裕區域、高度文明的地方也是沒有用的。所以，我們要發願生長在有佛、有僧眾弘揚佛法的地方。有出家人能為我們解惑、說法，並且帶著我們踐履佛法，此種地方乃真正的「居住適宜處」。

一個人可以居住在適宜處，能遇到有德、有智之人，又能夠聽聞佛法，行佛所行，其實和「往昔有德行」有關。《成佛之道・五乘共法》提到：「求人而得人，修天不生天。勤修三福行，願生佛陀前。」就是說勤修布施、持戒、禪定三福業行，可以得到人天果報，但畢竟天福享盡還是會墮落，如何避免輪迴苦海？那就是要常發願請求三寶慈悲攝受，生生世世能夠常隨佛學，然後靠著過去修行的福德資糧，投生到更好的生活條件、修行環境之處，如此能夠保證不失人身，由此而進入佛道。

我們未來想要居住生長在適宜處，除了要重視「往昔有德行」，同時也要「置身於正道」。過去的善業，讓我們生長在可以學佛的環境，今生今世我們更要累積功德福報，端正自己的行為、心念，為來世累積更多善美的福德因緣。

◆ 我們要發願居住在適宜處

為什麼呢？《三世因果經》云：「欲知前世因，今生受者是；欲知來世果，今生作者是。」也就是今生所做的一切，都會報應在你的來世，所以我們要做好事、說好話、存好心，要受三皈五戒、過著正信的生活，如此我們今生來世都可以獲得吉祥。

（四）多聞工藝精，嚴持諸禁戒，言談悅人心，是為最吉祥。

前面兩則偈語，已經清楚明白的告訴我們交友之道、居家之道、行事之道。接下來佛陀又告訴我們要「多聞工藝精」，廣泛的學習世間的知識和技藝，也就是能夠學到有益於人群大眾的知識和技藝，相信你可以幫助自己，也可以幫助別人。

因而星雲大師鼓勵一個在家學佛者要學習各種謀生技能，且在一生中至少要擁有三張執照，例如：檀講師、教師、醫生、護士、會計、駕駛、廚師、水電、縫紉、室內設計、農耕、園藝、書畫、編輯等，如此你就可以利己又利人。

除了「多聞工藝精」，我們還要做到「嚴持諸禁戒，言談悅人心」，我們的行為舉止要端正、要遵守五戒的規範，就是能做到「諸惡莫作，眾善奉行」。

另外，我們外表要和顏悅色，言談要令眾生歡喜，《正法念處經》云：「甘露及毒藥，皆在人舌中。」所以我們要不惡口、不兩舌、不妄語、不綺語，要說柔軟語、和合語、誠實語、清淨語，言行之間能給人信心、給人歡喜、給人希望、給人方便。如果我們都能做到，相信你就是大家眼中的吉祥大菩薩。

◆ 和氣能致祥

（五）奉養父母親，愛護妻與子，從業要無害，是為最吉祥。

接下來，佛陀談到夫婦、子女之間的相處之道及從業之道。

首先，談到如何「奉養父母親」。

「善生！若是為人子者，當以五事侍奉東方的父母：第一、供養父母，不令缺乏；第二、凡有所為，必先稟白；第三、父母所為，恭順不逆；第四、父母正令，不敢違背；第五、父母正業，不為中斷，立宗祠守遺產，父母死後要布施。

做東方父母的亦應以五事對待子女：第一、教育子女，不讓為惡；第二、指其善處，使有高尚品格；第三、慈愛入骨，教其廣博學問；第四、善為婚嫁，務使滿意；第五、隨時供給所需，協助事業成就。父母子女若能如此，則彼方安穩，沒有憂畏煩惱之苦。」

如何「愛護妻與子」？

「善生！為人夫者敬愛西方的妻子，有五事：第一、相待以禮，相敬如賓；第二、守貞不二，使妻信任；第三、衣食隨時，不使缺乏；第四、威嚴不褻，體貼其愛；第五、委付家內，悉任主使。

西方的妻子亦應以五事愛敬其夫：第一、早晨先起，打掃家內；第二、請夫先坐，然後入席；第三、和言愛語，不談粗言；第四、敬順其意，不可違背；第五、先承意旨，而後作為。夫妻若能如此，則彼方安穩，沒有憂畏煩惱之苦。」

從以上星雲大師闡述《善生經》的見解，我們清楚明白，為人子女要盡心奉養孝順自己的父母，為人父母要愛護教導自己的子女。為人丈夫要照顧好自己的妻子兒女，讓他們的生活安穩無憂，為人妻子也要恭敬善待自己的丈夫，讓他放心的外出拚搏。能夠如此，相信做到「家庭和順」、「人我和敬」，這個家庭一定充滿吉祥的氛圍。

前面偈語提到「多聞工藝精」，雖然沒有說明哪一種技藝可以學，哪一種不要學，但佛陀特別慈示我們「從業要無害」，也就是我們選擇的職業、所習的技藝要無害眾生、無害社會、無害國家。到底哪些工作、技藝是無害的？

大師在《迷悟之間．邪命》一文提到——

「人在世間上總要生活。佛經說有二種生活：一為『正命生活』，二為『邪命生活』。正命的生活，就是在金錢上將本求利，譬如有正當的職業、正當的營利、正當的種植、正當的販賣所得，以此維生，都是正命生活。另外，邪命的生活即為佛所不容了。……如：經營屠宰場、釣蝦場、獵具店、妓院、酒家、賭場，從事販賣人口、走私毒品，以及放高利貸、仿冒、報導不實的媒體和色情招搖等，皆為邪命生活。所謂邪命者，凡是欺騙所得，凡是以假亂真，凡是以傷害人而得私利者，此皆邪命。」

還有一些人披著宗教的外衣、白道的外表，卻從事不法勾當，也都是邪命生活。因此，一個人不去從事邪命的工作，其實是在幫助自己的家庭，也在幫助社會的安定，這不就是最吉祥了嗎？

（六）布施好品德，幫助眾親眷，行為無瑕疵，是為最吉祥。

從以上佛陀的開示，可以發現佛陀相當重視個人的身善業，如「布施好品德」、「行為無瑕疵」；前面的偈語如「置身於正道」、「嚴持諸禁戒」、「從業要無害」；還有後面要談的偈語「邪行須禁止、克己不飲酒、美德堅不移、自制淨生活」，也都是在告誡我們行為舉止不當，所有的修行功德都是枉然。

因而《楞嚴經》云：「因地不真，果招紆曲。」我們可以看到社會上很多名流、政治人物、體育明星，本來聲望很高，一旦品德有了瑕疵，馬上遭到各界唾棄批評，一下子從人人追捧，到乏人問津，可見社會對道德標準的重視。若我們的行為舉止端莊、合宜、清白、正直，而且又能慷慨寬大幫助別人，一定會成為他人崇敬的對象。所以，當我們看到社會上一些沒錢沒勢的人，卻仍節衣縮食去幫助弱小貧困，心中總是特別感動。

接下來我們進一步探討布施的看法。所謂布施，就是願意將自己所擁有的有形或無形的東西和他人分享，且不求對方有所回報，這就是「布施好品德」。因此菩薩行者將布施結緣作為度化眾生的首要方便。

布施的方法很多，除了錢財、物資、勞力、時間的「財布施」，還有以知識、技術、言語鼓勵、貢獻智慧、真理教化他人的「法布施」，以及維護正義法理、讓人無所畏懼的「無畏施」。所以提倡說好話，是口布施；做好事，是身布施；存好念，是心的布施。

當我們在行布施時，除了對大眾，也記得要布施給自己的親人。

如何「幫助眾親眷」呢？

「善生！為人當以五事親近對待北方的宗族朋友：第一、若有缺乏，布施給濟；第二、溫和愛語，恭敬禮遇；第三、利益均分，有我有他；第四、困難之事，助其成就；第五、誠實相待，不可欺騙。

◆ 人和家慶，自然諸事吉祥。

宗族朋友亦應以五事對待其人：第一、不令放逸，常常鼓勵；第二、不令失財，勸其惜物；第三、不令恐怖，助長其威；第四、屏相教誡，不令作惡；第五、常相稱讚，隱惡揚善。宗族朋友若能互相如此對待，則彼方安穩，沒有憂畏煩惱之苦。」

當我們的道德行為受到大眾讚揚肯定，行為舉止溫和有禮、談吐大方，又懂得去幫助眾生、幫助自己的親戚朋友，當然是大家心目中吉祥的人物了！

（七）邪行須禁止，克己不飲酒，美德堅不移，是為最吉祥。

「邪行」有多種定義，統合來說即身口意之過失，謂之「十惡」、「十不善業道」，即——

身：殺生、偷盜、邪淫。

口：妄語、兩舌、惡口、綺語。

意：慳貪、瞋恚、邪見。

這些都是邪行，我們必須要禁止。所以反過來說，遠離諸邪行，不犯十惡，即為「十

◆ 佛光青年號召全民一起展開五戒「心」生活

善」：不殺生、不偷盜、不邪淫、不妄語、不兩舌、不惡口、不綺語、不貪、不瞋、不痴。

在所有善法之中，「五戒、十善」是最基本的善法。五戒是不殺生、不偷盜、不邪淫、不妄語、不飲酒；十善則是五戒的延伸。五戒的功用在於防非止惡，十善則進一步讓我們保有清淨身、口、意，不造作諸惡業邪行，積極利樂有情。

「五戒」中，為何特別提到不飲酒呢？因為佛教是一個重視智慧的宗教，飲酒會使我們迷失理智，失去智慧，進而做出侵犯自他的事情，因此佛制不飲酒為根本五戒之一。

大師曾講過五戒的根本精神就是「不侵犯別人」，例如，不殺生，就是對別人的生命不侵犯；不偷盜，就是對別人的財富不侵犯；不邪淫，就是對別人的身體、名節不侵犯；不妄語，就是對別人的信用、名譽不侵犯；不飲酒，就是對自他的智慧、健康不侵犯。

佛陀的弟子優陀夷是一位有神通的阿羅漢，有降伏毒龍的本領。有一天，優陀夷喝醉了酒，睡在路旁，不省人事，佛陀看到這個景象，對弟子說：「現在，他連一隻青蛙也降伏不了。」佛陀乃制定不得飲酒的戒條。

飲酒除了對自己的智慧、健康有害以外，我們也常看到飲酒對他人產生傷害，如酒後駕車，讓多少家庭破碎；酒後亂性，產生的家暴、鬥毆、殺人，造成多少的不幸，甚至酒後誤國、誤事的個案也很多。

另外，我們對不飲酒戒，應該擴大解釋為「不吸毒」，因為吸毒的危害更大，人一旦吸了毒，天天萎靡不振、不思上進、不肯工作、行為偏差，嚴重的話，精神錯亂、耗盡家產、殺人放火……，許多邪惡的事情都會因此產生。所以我們要將「不飲酒」、「不吸毒」統合起來都稱為「克己不飲酒」。

接著，佛陀說「美德堅不移」，也就是告訴我們，了解佛理後，就要去實踐、修持，身心不可放逸，堅持行十善，才能獲得吉祥。

《法句經》云：「莫貪莫好諍，亦莫嗜欲樂，思心不放逸，可以獲大安。」一個修道者不要貪婪、不要喜歡與人諍訟，也不要耽溺於各種欲望與世俗快樂。還有我們的心靈也不要放逸，如此才能獲得大安樂。又云：「放逸如自禁，能却之為賢，已昇智慧閣，去危為即安。」一個修道者能夠自我約束，身心不放逸，就可以成為賢者。如果已經登上了智慧的高樓，便可免除煩惱，趨向平安，這不就是吉祥了嗎？

（八）恭敬與謙讓，知足並感恩，及時聞教法，是為最吉祥。

佛陀紀念館自二〇一一年十二月二十五日開光落成後，深受社會各界的推崇，紛紛前往參訪。有人問：為何進入佛館的第一棟建築物是「禮敬大廳」，而不是傳統的四天王殿？

針對這個疑問，我曾經如是回答——

「『禮敬大廳』之命名，具有兩層含義：一者，『禮敬』二字，是修學佛法的基本態度，也就是要認識佛法、要和佛菩薩接心。祕訣在學習普賢十大願的『禮敬諸佛』，大師對其解釋為『人格的尊重』，因為一切眾生皆有佛性，禮敬諸佛，就是尊重一切眾生的人格。來訪的人，透過對諸佛菩薩的恭敬禮拜，才能契入佛心，也才能了解大師設計佛館的意涵。

二者，取其『離境』之諧音，如同我們搭乘飛機出國，都會先到出境大廳、入境大廳，經過這個空間轉換，才能安心飛往另一國度。同樣的，要深入探索如佛國淨土般的佛陀紀念館，也先在禮敬大廳備辦各項雜事，安頓自己身心，才能以安穩清淨的心，展開朝聖接心之旅。」

我們不但要以恭敬心求法，而且還要以歡喜心聞法，如此我們才可以深入佛法大海。所以《華嚴經》云：「歡喜恭敬心，能問甚深法。」

當我們聽聞佛法後，要懂得去內化、實踐，因此我們展現在外的形象是謙恭有禮、知足感恩。

《伊索寓言》提到兩隻羊過獨木橋，由於互不相讓，相互衝突，最後都掉到河裡去了，這雖是一則兒童故事，但人我之間的許多糾紛、誤會，不就是來自不懂得謙讓嗎？因而《六祖壇經》說：「讓則尊卑和睦，忍則眾惡無喧。」大師也常鼓勵大家要有「你大我小、你對我錯、你有我無、你樂我苦」的觀念。

接下來，要和大家談談知足、感恩的觀念。

「慾」這個字很有意境，人的心就像無底洞的山谷，永遠欠東西填滿，所以會有「慾壑難填」、「得隴望蜀」、「人心不足蛇吞象」等成語出現。因而《佛遺教經》說：「不知足者，雖富而貧；知足之人，雖貧而富。」星雲大師也說：「一個知足的人，能『以無為有，以退為進，以眾為我，以空為樂』，不比較、計較，不悲不惱，山河大地、宇宙星辰、花開花謝、鳥啼蟲鳴，……這一切莫不為其所有，是一個真正快樂富有的人。」

有關報恩的觀念，大師在《佛法真義．報恩》說：「中華文化倡導『報恩』的美德；就是在佛教裡，到處也都有『報恩』的思想。」也說：「你要想做一個健全的人，就先從報恩做起。」

佛門在誦經、念佛以後，會念一段回向文：「願以此功德，莊嚴佛淨土，上報四重恩，下濟三塗苦，若有見聞者，悉發菩提心，盡此一報身，同生極樂國。」其中的「四重恩」，就是要我們學佛者報答父母恩、眾生恩、國家恩、三寶恩。

因為父母茹苦含辛養育我們，其恩比天高、其情比海深。《大方便佛報恩經》也說，父母是三界中最勝之福田，其恩難報，我們當然要好好的報答父母雙親；一切眾生、士農工商，各行各業，對我們有幫助的人，也是我們的恩人，我們要感謝他們；國家保護我們，我們才能安居樂業，不會流離失所，所以要報國家的恩；佛法僧三寶，給我們心靈的安慰、身心的安住，三寶對我們也有恩。

綜述此二句看法，一個知足的人是快樂的，因為他不但不會和人爭鬥，且樂於分享；一個懂得「上報四重恩」，記住他人恩德，且以實際行動去報恩的人，相信他是一個吉祥的人。

我們知道一個人表現出「恭敬與謙讓，知足並感恩」，是因為有父母師長的教導，或是從經典書籍中領略出來的道理，因而要「及時聞教法」，一有機會就要去聽聞佛法。

佛法不是一種常識、知識，也不是消遣娛樂品。佛法讓我們看到自己的種種過失，並知道慚愧懺悔、知道如何改進；佛法同時也會印證我們所言所行是合宜的，讓我們心生歡喜，更堅定目標、努力修持。所以佛陀曾說過：「法，如鏡。」能以法為鏡的人，不就是最吉祥了嗎？

為了讓信眾能常常聽聞正法、養成主動深入經藏的習慣，提升宗教信仰的生命層次，大師於二〇〇二年元旦成立「人間佛教讀書會」，透過計畫性的組織，期望展開全球性的讀書風氣，並將「生活書香化」視為「終身學習」的最佳途徑。讓大家能夠「讀做一個人，讀明一點理，讀悟一些緣，讀懂一顆心。」

（九）忍耐與順從，得見眾沙門，適時論信仰，是為最吉祥。

俗語說：「忍一時風平浪靜，退一步海闊天空。」反之，「小不忍，則亂大謀。」大師在《佛法真義．忍辱》開示：「在我們一生的行事當中，『忍』對一個人是很重要的。夫妻不能忍，就要離婚；朋友不能忍，絕交不來往；工作不能忍，就想辭職，最後只有失業。……其實『忍』是力量、是智慧，忍具有認識、擔當、負責、化解之意。」

◆常樂柔和忍辱法，安住慈悲喜捨中。

所以「忍」，不是拿著一把刀往心頭插，他是清楚明白為何要忍，所以忍得沒有火氣，忍得心甘情願，這樣的忍就像《華嚴經》所云：「常樂柔和忍辱法，安住慈悲喜捨中。」也就是說，一個學佛之人如何立身處世呢？他不能夠稍不如意就逞勇鬥狠，爭強好勝，他要以柔和忍辱面對，而且能夠安住在慈悲喜捨當中。

我們如何忍呢？大師在《星雲說偈．從柔不從剛》說：「忍耐，也有層次之分：下等忍，是忍之於口，不隨便罵人；中等忍，是忍之於面，不現生氣相；最上等的忍，是忍之於心，真正做到凡事都不動心、不計較。」

相信，能夠做到上等忍，表示我們的心地柔和，安住在慈悲喜捨當中，並知道所有一切橫逆障礙，都是我們的逆增上緣啊！能夠做到「忍耐與順從」，不就是吉祥了嗎？

為何「得見眾沙門」是吉祥的事情？

因為，透過參訪寺院、拜訪出家人，聆聽法要、改變自己，當然能夠獲得無量的功德福報。所以當信徒、訪客來道場參訪或是尋求心靈慰藉，身為一位法師，要做哪些事呢？

「善生！……沙門亦當以六事而教授檀越：第一、善為防護，不令為惡；第二、指授善處，多作好事；第三、教懷善心，不起惡念；第四、未聞令聞，常教正法；第五、聞者令解，多施法益；第六、多為講說，得救之道。」

從《善生經》的開示，我們可以感受到「得見眾沙門」的重要性。

前一句的偈語提到的「及時聞教法」，跟這一條偈語的「適時論信仰」是有關聯性的。前者，鼓勵學佛者要常常聽聞佛法；後者，探討如何提升信仰層面、如何走向正信的道路。所以，偈語提到「得見眾沙門」，並不是只有常到寺院聆聽法師們的開示，更要到寺院去參禪、念佛、共修、當義工，同時也協助法師們共同宣揚佛法、參與有益身心的活動，對社會淨化盡一點微薄力量，增加自己信仰的資糧。

不只自己要如此發心，也要帶領家人跟著學佛，尤其孩子的信仰傳承，更是不可以忽略。當孩子們繼承了信仰，他們就會懂得「做好事、說好話、存好心」，也能遵守佛陀在《吉祥經》的規範教導，大家不就是可以得到吉祥了嗎？

在信仰的方面，大師在《迷悟之間．信仰的層次》這一段話太重要了：「信仰宗教，

◆ 我們要信仰傳承，讓孩子在「三好」中快樂成長。

必須慎重選擇，否則一旦信錯了邪教外道，正如一個人錯喝了毒藥，等到藥效發作，則生命危矣！所以『邪信』不如『不信』。『不信』則不如『迷信』，因為迷信只是不了解，但至少他有善惡因果觀念，懂得去惡向善；不信的人，就像一個人不用大腦思考，不肯張開眼睛看世界，那麼他永遠也沒有機會認識這個世界。當然，信仰最終還是以『正信』最好。」我們能信仰正信的佛教，又能追隨星雲大師推動人間佛教、建立佛光淨土，這就是「最吉祥」了！

（十）自制淨生活，領悟八正道，實證涅槃法，是為最吉祥。

從佛陀前面所開導的偈語，我們可以發現佛陀對在家學佛者的倫理道德、立身處世、人我關係、信仰生活是很重視的，如果能夠貫徹實踐佛陀的教誨，相信可以招感人天果報。但我們也知道，天福享盡還是會墮落受苦的，因而佛陀接著講說「自制淨生活」、「領悟八正道」、「實證涅槃法」。鼓勵在家學佛者發出離心，厭離塵世的欲望，不為欲望枷鎖所縛，然後以出世的思想，做入世的事業，從事弘法度眾的工作，才能脫離三界的生死苦海。

首先我們從「自制淨生活」談起，此段偈語除了要我們遵守五戒、十善的規範，也告訴我們要注意六根（眼、耳、鼻、舌、身、意）不要受到六塵（色、聲、香、味、觸、法）的誘惑，自然我們的心就不會隨著外境流轉。我們如何做到呢？

◆ 人間佛教行者，擔任義工、解行並重。

宋朝性空妙普禪師有一首偈語說得好：「學道猶如守禁城，晝防六賊夜惺惺；將軍主帥能行令，不動干戈定太平。」一個學佛者，二六時中都要好好照顧自己的六根和念頭，面對各種無常變化，或是外在順、逆境的變化，我們都要照顧好這一顆心，不受波及動搖，如此就能不動干戈，平定心中的六賊，過著寧靜祥和的生活。

因此，在修行的過程中，我們除了發增上心，健全我們的人格，身做好事、口說好話、心存好念，與人為善、廣結善緣，還要發出離心，好好守護六根，不要被外在五欲六塵所牽引。

在這個世間生活，不貪求、不執著、不計較，凡事看得開、放得下，就能很瀟灑、很自在。就好像維摩居士「吾有法樂，不樂世俗之樂」，讓心靈昇華，真正的與法相契、與道相應；也如勝鬘夫人「雖處王宮，不著欲樂；身居富貴，常修佛法」；還有梁代的傅大士與中唐的龐蘊居士，雖是在家人仍然精進於參禪講經，一樣能夠勘破生死。

以上這些偉大的在家居士，都是在家學佛者的榜樣。而我們人間佛教的行者，除了發出離心，還要發菩提心，成為一名真正的菩薩，同時具有入世的增上心，以及空無的出離心。如此你在家學佛修行，雖處塵世，心在山林；過的是世俗生活，而心卻在清淨梵行之中。如此所修的一切功德，才能轉化為解脫生死的善因。

接下來我們談「領悟八正道」及「實證涅槃法」。

什麼是涅槃？《雜阿含經》說：「貪欲永盡，瞋恚永盡，愚痴永盡，一切諸煩惱永盡，是名涅槃。」

涅槃，亦即四聖諦中的滅諦；八正道，則為道諦。大師在《佛法真義．四聖諦》說：「佛陀因證悟『緣起法』而成就佛道，但是緣起法深奧難解，佛陀唯恐驟然宣說，

◆ 八風不動心，寧靜無憂惱。

會讓還沒有起信的眾生望而生畏，於是在鹿野苑初轉法輪時，先為五比丘宣說四聖諦法——苦、集、滅、道。這可說是佛法的綱要，說明了人生如何從『苦空無常』的此岸，邁向『常樂我淨』的彼岸之修道次第。」又說：「四聖諦就像治病的過程，一個人生病了，痛苦不堪，是苦諦；知道病因，是集諦；對症下藥，施以各種醫療方法，是道諦；藥到病除，恢復健康，是滅諦。我們身體的疾病要接受醫生治療，我們心裡的病毒，則要依靠佛法的藥方來醫治。其藥方就是指『八正道』——正見、正思惟、正語、正業、正命、正精進、正念、正定。循此八正道，可以讓我們煩惱永斷，解脫生死輪迴之苦。」也就是說，「八正道」這一帖藥方，是八條通往成佛大道的實踐法門，是脫離煩惱痛苦的方法，是獲得清淨快樂人生的途徑，是佛子正確的修行道路。當我們通達、了知四聖諦的真理之後，還要學菩薩不捨一法，以四聖諦為基礎，實踐四攝六度的行門，來完成菩薩道。

經文提到「實證涅槃法」，「涅槃」又是怎樣的一種殊勝境界呢？大師在《佛法真義．涅槃》如此闡述：「一般人講到『涅槃』，往往與死亡畫上等號，甚至連自殺或槍斃而死的人，也稱『涅槃』；即使是佛教人士，對於大德長老辭世，也常用『涅槃』來形容，實在曲解了『涅槃』的真義。涅槃不是死了以後叫作涅槃；活著、開悟，就叫作涅槃。涅槃它是一個不生不滅的境界，所謂『去一分無明，就得一分智慧；去十分無明，就得十分智慧』。」

從大師這一段話，我們可以知道「涅槃」，不是舊有生命的結束，而是新生命的開始，這個新的生命是一種不生不死的境界，是圓滿、永恆的生命，是超越時間和空間，不在生死中流轉，進入到一種沒有動盪、是非、好壞、對立，是不染一塵的寂滅境界。

所以，涅槃是生命最究竟、最圓滿的境界。

一個菩薩行者，不再因貪瞋痴而造業，他內心的三毒止息了，不再造業。生前能證到「有餘涅槃」，經過百千萬劫的修行又證入「無餘涅槃」，那真的是大吉祥啊！

（十一）八風不動心，無憂無汙染，寧靜無煩惱，是為最吉祥。

當我們都能做到上述佛陀的指導，自然不會受到八風所動搖，八風所指為何呢？《思益梵天所問經》中所說的八風，是指能夠影響人心的八件事，即利、衰、毀、譽、稱、譏、苦、樂。

虛雲老和尚對此曾說：「行人遇著利風，便生貪著；遇著衰風，便生愁懊；遇著毀風，便生瞋恚；遇著譽風，便生歡喜；遇著稱風，居之不疑；遇著譏風，因羞成怒；遇著苦風，喪其所守；遇著樂風，流連忘返。如是八風飄鼓，心逐境遷，生死到來，如何抵敵？」也就是說，平日受到八風的牽動，生死關頭到來，如何抵禦色、聲、香、味、觸、法等六塵之賊呢？

誠哉斯言！宋朝蘇東坡自稱「八風吹不動，端坐紫金蓮」，結果佛印禪師「放屁」二字，竟讓蘇大學士「一屁打過江」。因為他受到「稱、譏」之風動搖了，也就是說蘇大學士目前修行境界還是在「講時似悟，對境生迷」的階段，自然還有毀、譽、稱、譏、比較、計較的煩惱。

因而，一個真正菩薩行者，當他依著佛陀的教法努力修持，最終的修道成果是不會受到八風影響，也不會受到外境染汙。他已經斷盡一切煩惱惑業、已經得到解脫自在，他內心始終保持著寧靜、無憂無惱，示現出威德具足、舉止安詳的莊嚴儀表，讓眾生心生法喜，那才是最高的吉祥啊。

（十二）依此行持者，無往而不勝，一切處得福，是為最吉祥。

這一句偈語很清楚地點出，只要我們能如實踐履佛陀所說的偈語，無論身處何種環境，面對無常變化、碰到順逆境界，都有辦法克服難關，擊敗煩惱魔軍，隨遇而安、隨緣生活、隨心而住、隨喜而作。因此，所到之處都能得到祝福、能圓滿如意，不但自己自在安詳，也帶給眾生平安吉祥！

五、《佛說吉祥經》的修行次第

最後，我嘗試將佛陀所揭示的十一首偈語、三十多句吉祥話，分類成六個重點，讓讀者更容易認識了解經文內涵，也更了解如何在生活中實踐。

（一）近善知識

星雲大師在《迷悟之間．善知識》說：「人群之中有善知識，也有惡知識。善知識示人以道以德、以學以藝；惡知識只是叫人為非作歹、不務正業。誰是善知識？誰是惡知識？就要以慧眼去分辨了。」

《吉祥經》偈語提到的「勿近愚痴人、應與智者交、尊敬有德者」，即是指引我們親近善知識的準則。

（二）擇善處居

偈語「居住適宜處」，就是告訴我們要居住在可以學習佛法的環境，不要住在不得遇佛、不聞正法之八種障難處；要居住在能夠遇到有德、有智之人，又能夠聽聞佛法，行佛所行的地方。

（三）要行三好

雖然佛陀沒有在《吉祥經》特別提到「做好事、說好話、存好心」，但佛陀有告訴我們要注意身、口、意三業，「三業」和「三好」是相應的。

大師在《佛法真義．三好》也說：「佛教講：『萬般帶不去，唯有業隨身。』『業』就是透過『身口意』三者所造作的行為，所以造業的主人翁就是身、口、意『三業』。修行用功，必須從身、口、意三業修起；三業要淨化，就要身行善事，口出善言，心存善念。」

1.身做好事，要重視前世善業、今生善行。前世善業，就是偈語的「往昔有德行」；今生善行，則可以分成攝律儀戒、攝善法戒、照顧親友、正命生活四點說明。

（1）攝律儀戒，即遵守佛教制定之各種戒律，防非止惡。這一方面的偈語有：「置身於正道、嚴持諸禁戒、行為無瑕疵、邪行須禁止、克己不飲酒、自制淨生活。」

（2）攝善法戒，即誓願實踐一切善法，以修習諸善為戒。這一方面的偈語有：「多聞工藝精、布施好品德、美德堅不移。」

（3）照顧親友的偈語有：「奉養父母親、愛護妻與子、幫助眾親眷。」能夠孝順父母、照顧親眷的人，相信他的家庭一定「自心和悅、家庭和順、人我和敬」，大家和樂融融。

（4）正命生活的偈語有：「從業要無害。」在家人要過著有正當的職業、營利、種植、販賣的正命生活。

2.口說好話的偈語有：「言談悅人心。」口中多說好話，既能助長他人的善根，也能增益自己的德行。

3.心存好念的偈語有：「恭敬與謙讓、知足並感恩、忍耐與順從。」恭敬與謙讓，是我們學習佛法、聽聞佛法的基本態度；知足並感恩、忍耐與順從，是我們聽聞佛法所內化出來的成果。

（四）信仰生活

此處可以分成兩個重點「訪僧聞法、與法相印」：

1.訪僧聞法的偈語有：「及時聞教法、得見眾沙門、適時論信仰。」及時聞教法，是鼓勵學佛者要常常去聽聞佛法；得見眾沙門、適時論信仰，則是鼓勵我們除了到寺院尋師問道、解答疑惑，還要參禪念佛、擔任義工，解行並重，深化信仰。

2.與法相印的偈語有：「領悟八正道、實證涅槃法。」悟四聖諦，修八正道，證涅槃果，方能與法相印。

（五）修行成果

此類偈語有：「八風不動心、無憂無汙染、寧靜無煩惱。」一般人「講時似悟，對境生迷」，但修到此境界，是真的「八風不動心」了。

（六）得大吉祥

當佛陀所傳授的教法，我們都一一付諸實踐，自然和最後的四句偈語相應：「依此行持者，無往而不勝，一切處得福，是為最吉祥。」

以上是我對《吉祥經》的淺釋，以及將偈語分類成「近善知識」、「擇善處居」、「要行三好」、「信仰生活」、「修行成果」、「得大吉祥」等六個要點，目的是希望大家從增上心開始修起，進而發出離心、菩提心，如此我們「以出世的思想，做入世的事業」，真正可以圓滿佛道。

◆ 人與萬物共生吉祥

另外，我也從對《吉祥經》的粗淺認識，更明白星雲大師要我們佛光人互道「吉祥」的真義。大師不只是要我們相互祝福，也希望我們要將口頭祝福的「吉祥」，透過我們的端身正意，自己做個好榜樣，踐履三好，幫助親人、幫助眾生，朝著信仰生活邁進，以法相印，自然會帶來「你吉祥、我吉祥、大家都吉祥」。

如果人與人之間、人與萬物之間都能「共生吉祥」，那麼「二六時中恆吉祥」，不就是佛法普遍人間的意思嗎？此時「淨土在人間，人間即淨土」。

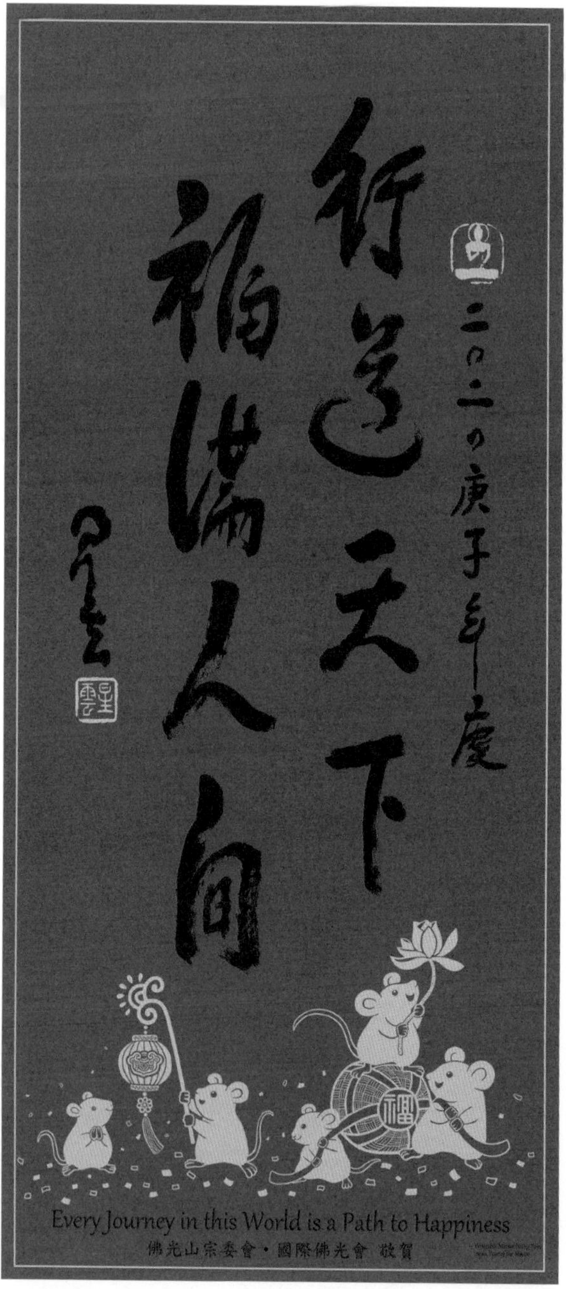
行道天下
福滿人間
二〇二〇庚子年慶
星雲
Every Journey in this World is a Path to Happiness
佛光山宗委會・國際佛光會 敬賀

行道天下・福滿人間——

以「三好」行道天下，自然福滿人間。

為什麼要學佛？為了要學道。
佛道是我們走向圓滿生命的道路。
道在哪裡？
道在生活中、眾生中，在發心、慈悲裡，
無處不在、無處不有，它遍滿虛空法界。
你要和道相應，才能感應道交。

行道天下，如何福滿人間

十二

二〇二〇年新春賀詞「行道天下．福滿人間」，星雲大師慈示其意義：「庚子鼠年，祝願大家做好事、說好話、存好心，以『三好』行道天下、福滿人間！」我依此擬定出「行道天下，如何福滿人間」的題目。

一、何謂「道」？

◆ 道，無處不在、無處不有，遍滿虛空法界。

要體會大師「行道天下．福滿人間」意涵，首先對「道」要有所認識、了解。大師指的「道」，是什麼含義呢？大師剛創立佛光會時，出版一本《會員手冊》，裡面有一篇文章〈做一個佛光會員——我怎麼辦？〉，其中一句話值得深思：「我們為什麼要學佛？為了要學道。這個道即是佛道，是我們走向圓滿生命的道路。道在哪裡？道在生活中、在眾生中，在發心、慈悲裡……。道，無處不在、無處不有，它遍滿虛空法界。你要在發心、慈悲、恭敬、正信、忍辱中，才能與道交流、才有感應。」

大師把「道」的含義解釋得非常清楚，

我們只要擁有發心、慈悲、恭敬、正信、忍辱等善良美德，就會和遍滿虛空法界的「道」相應，也就是跟佛道相應。

若我們將虛空法界、諸佛菩薩的境界比喻為一個無形心靈插座，我們求道之人是一個無形的心靈插頭。求道之人如何將此心靈插頭，剛好插入佛菩薩的心靈插座呢？諸佛菩薩有發心、慈悲、恭敬、正信、忍辱等善良美德，當然我們也要擁有這些善良美德，更要運用在生活中、眾生中，才有辦法將無形插頭插入無形插座，和佛菩薩感應道交。

在心靈交會剎那間，你會明白孔子的「朝聞道，夕死可矣！」你會懂得《大學》的「大學之道，在明明德，在親民，在止於至善。」你也會了解《道德經》的「道可道，非常道。」當然也會體悟禪宗三祖僧璨大師〈信心銘〉「至道無難，唯嫌揀擇，但莫憎愛，洞然明白」的含義了。

星雲大師在《釋迦牟尼佛傳》提到，為何須菩提被稱為「解空第一」。有一次，佛陀突然失去蹤影，大家很著急地尋找，這時天眼第一的阿那律以天眼觀察，看到佛陀在忉利天為聖母摩耶夫人說法，三個月後才會回來。

很快三個月過去，佛陀回到人間的重要時刻到了，弟子爭先恐後前往佛陀要降臨的地點迎接。此時，正在靈鷲山洞窟中縫衣服的須菩提，準備放下衣服前往迎接，但突然心念一轉又坐下來繼續縫補衣服。為什麼呢？

因為須菩提清楚知道，此時去迎接的只是佛陀四大五蘊假合的應化身，而非佛陀真正的法身。如果想要見到真正的佛陀，首先要認識自己本身是四大五蘊和合而生；既然是因緣和合而生，就沒有恆常不變、獨立個體的「我」存在，世界萬象萬物都是彼此相互依存，也一樣沒有實在的「我」存在，所以一切法是「空無自性」，也唯有證悟到此種境界，才能真正見到佛陀。《華嚴經》有謂：「若人欲識佛境界，當淨其意如虛空。」你想一窺佛陀的境界嗎？先要清淨身口意三業，如此你才有辦法擴大自己的心胸、意念如虛空一般。

所以，當蓮花色比丘尼表示自己是最先前來迎接佛陀的人，佛陀微笑著回答：「蓮花色！迎接我回來的你不能算是第一人，須菩提尊者觀察諸法的空性，才是真正迎接見到我的人；見法的人才能第一個見到佛陀，第一個迎接佛陀。」

《金剛經》云：「若以色見我，以音聲求我，是人行邪道，不能見如來。」所以，蓮花色比丘尼等人只是迎接到應化身的佛陀，無法和「如來」相應；而須菩提尊者雖然在洞中縫補衣服，但當下的心念是和「空性」相應，如《佛地經論》云：「若見緣起即見法性，若見法性即見諸佛。」他才是真正與佛陀法身相應的人啊！

◆ 若人欲識佛境界，當淨其意如虛空。

要和佛陀之道相應，要先和「空性」相應，那麼在佛光山出家的弟子，要和星雲大師相應，該如何做呢？

《星雲日記》曾提到：「常有徒弟對我抱怨，說我是信徒的，想排隊跟我講話都輪不到，尤其出國時，連影子都看不到。我出家五十年來為佛教奉獻心力，從不曾見過佛陀。但佛陀的慈悲、忍辱、為教為眾的精神，始終在我心中，因為我心中有佛陀！我的徒弟如果不能從我的著作、講演集、開示中與我思想相依，心中沒有我這個師父，怎可跟我出家？」

此段話，已經明白點出要和星雲大師相應，是要在慈悲、忍辱、為教為眾中，和大師相應，是時刻心中要有佛陀，也就是說唯有發菩提心，行菩薩道，方能和星雲大師的人間佛教之道相應，也才能和佛道相應。

另外大師在《人間佛教語錄．佛光宗風》中提到「如何認識佛光山」：

1. 不要只看佛光山的外表，要看內涵。
2. 不要只看佛光山的建築，要看事業。

3.不要只看佛光山的錢財，要看人才。
4.不要只看佛光山的活動，要看制度。
5.不要只看佛光山的個人，要看團隊。
6.不要只看佛光山的廣面，要看深度。
7.不要只看佛光山的現在，要看未來。
8.不要只看佛光山的目前，要看過去。

此段話不就是告訴我們如何和佛光山宗風相應了嗎？

所以接下來要探討的是，哪些人的言行不能和人間佛教之「道」相應，哪些人的言行能與人間佛教之「道」相應？也就是說，可以和「道」相應、和佛菩薩相應的人，能「行道天下．福滿人間」。

二、何種性格無法與「道」相應？

（一）忘恩負義的人

《佛說九色鹿經》內容敘述從前有一隻鹿王，身上有九種顏色，世上罕見。一日正在溪邊喝水吃草，聽到有人喊救命，便將溺水之人救起。此人表示願意留下為鹿王天天提供水草，鹿王辭謝，只叮囑不要將其住處告訴他人，此人也發誓不會洩密。

有一天，該國皇后夢到一隻身上有九種顏色的鹿，要求國王抓到此鹿做成大衣，國王發出公告，抓到九色鹿者將有重賞。此事被溺水之人知道了，因利慾薰心，蒙蔽良知，忘了誓言，遂將鹿王住處向國王報告。

國王即刻派軍隊前往抓拿鹿王，正在江邊休息的鹿王渾然不知，等到發現，已被大軍包圍。正當軍人挽弓欲射時，鹿王奔至王前，說出當日救人的始末，國王自覺慚愧，責罵此人忘恩負義，並加以懲罰，然後規定從今以後不可殺九色鹿。於是，數千鹿群皆來依附，從此人鹿和諧相處。

九色鹿的前生就是佛陀，溺水之人就是提婆達多。佛陀開示說：「調達和我生生世世有仇怨，但我仍一心一意要引導他向善，他卻不為所動，仍要害我，我依然行忍辱波羅蜜，沒有和他計較。」

這個故事給我們的啟示：一個忘恩負義的人是無法和道相應，不只今生難以得道，生生世世都不容易啊！反之，心性善良，經過累劫修行，終有一天可以和佛菩薩之道相應的。

民間有一則傳說，木匠祖師爺魯班，他的徒弟遍滿天下，其中一位手藝特別精巧，幾乎和魯班不相上下，受到許多人吹捧，便洋洋得意、自以為是。

一日，魯班做了一個會走動、會做事的木頭人，大家嘖嘖稱奇，認為魯班的技術最了不起。這位弟子不服氣，偷偷地去觀察研究，接下來依樣畫葫蘆造了一樣的木頭人，可惜不會動，他實在找不出原因，只好硬著頭皮問魯班。

魯班早知道這位徒弟心術不正，想藉此機緣教訓他。

魯班問：「你有按照我的尺寸去做嗎？」

徒弟回答：「我完全照著您的尺寸去做。」

魯班：「你都有全部仔細量過了嗎？」

徒弟：「是的，全部量過了。」

魯班：「心有量嗎？」

徒弟：「師傅，我沒量心耶！」

魯班：「關鍵在這裡，因為你沒量（良）心啊！」

徒弟無話可說，羞得無地自容，趕緊遠走他鄉。所以，人們就把忘恩負義、自以為是的人，形容為「那人沒『良心』」。雖然這是一則民間故事，但已經告訴我們一個深刻的道理：一個忘恩負義的人，不但不能和佛道相應，做人處事方面也會受到世人唾棄。

（二）不守信用的人

〈狼來了〉是《伊索寓言》中的一則故事，內容敘述一位牧童，每天牧羊吃草，覺得日子單調又無聊，有一天心血來潮，大喊「狼來了！」村民信以為真，紛紛拿起刀棍要來驅狼，結果發現是被牧童矇騙，大家都很生氣，但牧童卻很開心，且常常故技重施。有一天狼真的來了，放羊的小孩高喊著：「狼來了！狼來了！」但村民已不相信他所說的話，最後羊群都被吃光了。

相信這是一則父母親常用來告誡小朋友要守信用，不可說謊的寓言故事。但在歷史上，真的有因失去信用而導致亡國的例子。

周幽王非常寵愛美女褒姒，並封她為王后，她雖然美卻不笑，因此幽王想方設法要讓她笑，但都沒有成功。有大臣出了餿主意，請幽王烽火戲諸侯，想不到幽王竟然答應。當諸侯看到烽火台的狼煙一起，以為出事了，匆忙帶著大隊兵馬前來搭救，後來才知道被耍了，很不高興地一個一個走了，褒姒看見大軍狼狽的樣子就嫣然一笑。周幽王大樂，之後故技重施，多次點燃烽火，以博美人一笑。後來，犬戎來攻打，周幽王點火叫諸侯救援，諸侯以為又要戲弄他們，所以都不肯帶兵前往，周幽王就被犬戎殺了，而褒姒也被犬戎擄走。

另外，德國著名的民間故事〈彩衣吹笛人〉，描述德國一個叫哈梅恩（Hameln）的小鎮，因為居民不守信用，發生了孩子失蹤的不幸事件。

一二八四年，哈梅恩爆發了嚴重鼠患，居民陷入極大恐慌。有一天，城裡來了一個穿小丑彩衣的人，自稱可以制伏老鼠。條件就是要給他一筆酬勞，人們答應了他的條件，彩衣人隨即掏出笛子沿著大街小巷吹奏起來，城裡的老鼠聞聲隨行，彩衣人就這樣將老鼠引到城外的威悉河淹死了。

沒想到居民卻認為吹笛人太輕鬆消滅鼠患，違反諾言不願付酬勞，吹笛人憤然離去。過了數週，大人們正在教堂做禮拜，吹笛人突然出現吹起笛子，此時已經不是老鼠出現，而是孩童們跟著笛聲走，進入森林後就再也沒有出來，從此消失。

這個撕心裂肺的教訓，讓全城人悲痛不已，因為自己不守信用，累及子孫。為了讓後人記住這個慘痛的教訓，當地人豎立吹笛人和老鼠的銅像，及各式各樣和此事有關的招牌、碑文，甚至在大街小巷表演〈彩衣吹笛人〉，不斷地提醒人們：不守信用，後果悲慘。

不守信用，在現實人間都不被認同，又如何和人間佛教之道相應呢？

（三）利慾薰心的人

佛陀成道以後，回到故鄉迦毗羅衛國隨緣說法，因而菩提種子逐漸地在國人的內心發芽，也促成了王族及大臣等人出家的因緣，其中包含白飯王的王子提婆達多和阿難。

提婆達多生性具有野心且不安本分，他認真修行，不是為了淨化心靈，向著解脫大道前進，他的修行，是為了沽名釣譽、顯異惑眾，此種偏差性格讓佛陀擔心。

有一天，他要求佛陀教他神通法門，佛陀拒絕了提婆達多的要求，叫他應先在人格修養上完成，不要貪求神通，因為神通與德行毫無關聯。提婆達多心中不服，瞞著佛陀去求舍利弗、目犍連等大阿羅漢僧，但尊者們洞悉提婆達多的惡性，都拒絕他的請求，只教他觀察佛陀說的諸法苦、空、無常、無我的道理而已。

他不死心，走旁門左道，從另一個管道習得神通，然後以此獲得摩揭陀國阿闍世太子的護持供養，因而勢力越來越大。此時，他的心性更嚴重的被蒙蔽，興起惡念，欲取代佛陀在僧團的地位，因而造下許多破和合僧、出佛身血的害佛惡行，如刺客殺佛、推石壓佛、狂象害佛、爪毒傷佛、拋車擊佛、殺蓮華色等不可原諒的五逆重罪，最後受到懲罰，墮入地獄，受無邊苦痛。

提婆達多不安於求道，汲汲追逐名利，且惡向膽邊生，屢次傷害佛陀，的確和佛道越離越遠，現實人間也不見容。

相信大家都聽過「孫龐鬥智」、「因勢利導」、「圍魏救趙」、「添兵減灶」的故事，內容敘述孫臏、龐涓同在鬼谷子門下學習，卻從好友成為仇敵，各逞計謀、生死搏鬥。為何師兄弟兩人會反目成仇呢？戰國時期，周王室名存實亡，各地諸侯相互攻伐，搶奪資源。時勢造英雄，同在鬼谷子門下學習兵法的孫臏和龐涓，更是雄心萬丈，想入世一展長才。

龐涓先行辭師下山追求功名，臨行前，孫臏送他下山，龐涓拍著胸脯說：「我要是被魏國重用，一定會把你招請進來，你就不用為前程發愁了！」但龐涓受魏惠王重視，任魏國將軍之職，卻沒有主動來找孫臏。

後來鬼谷子的朋友墨翟，向魏惠王舉薦孫臏。龐涓知道孫臏才學勝過他，就在「有了他，將來就沒有我」的嫉妒心、名利心驅使之下，不僅沒有兌現諾言，還捏造罪名誣陷孫臏，讓司法部門殘忍地施以髕刑（斷足或把膝蓋骨削掉的酷刑）、黥刑（臉上刺字塗墨的刑罰），防止他逃走。事後卻又假裝好心要照顧孫臏，目的是誘騙孫臏抄寫出《孫子兵法》十三篇及註解，然後一舉將之殺害，以絕後患。

但，孫臏在旁人告知下，知道這是一個詭計，乃裝瘋賣傻，使龐涓失去戒心，後得齊國使臣搭救，逃出魏國。孫臏到了齊國，齊威王委以軍師之職。後來魏王派龐涓攻打韓國，田忌採納孫臏的「添兵減灶」之計，將龐涓誘入馬陵道，斷絕後路。龐涓眼見大勢已去，臨死之前說了一句話：「這一仗可讓這小子出名了。」

「這小子」指的當然是孫臏。由此，更看出龐涓的狹隘、嫉妒、名利之心，至死不變啊！此種人縱然有超高的軍事才華，但仍是無法和道相應啊！

（四）得寸進尺的人

這是早年發生在高雄的真實案例。兄弟兩人在鹽埕區各有房子，分財產的時候，哥哥比弟弟多了一間，且地段及坪數都比弟弟的還要大、還要好。

當時在鹽埕區有房產都算是富貴人家，應該要滿足了。但哥哥不學好，將兩棟房子都敗光，而且不但沒有警惕，竟然動了歪腦筋，以欺騙的手法告訴弟弟，說父親生前有交代，靠近左營區博愛路（當時還沒有開發）有一塊農地要給弟弟，但條件是弟弟要將在鹽埕區的房子轉讓給哥哥。

想不到，弟弟真的將當時值千萬以上的房子和哥哥交換，許多人聽到此消息，都說老二太笨了，但他都不以為意，並告訴自己的兒女：「這是我上輩子欠他的，任何事情菩薩都安排好了，終有一天會看到結果。」

就這樣，這一家人就在農地上，種植自己喜歡吃的蔬果，過著愜意的生活，兒女也沒有因為老爸的決定而埋怨不滿，都非常孝順、上進。老二臥病在床時，兒子媳婦不但沒有「久病床前無孝子」的問題發生，且真誠照顧，在社會上也都很有成就，不是當醫生，就是當教授。

如今鹽埕區漸漸沒落，左營區漸漸發展起來，老二這種「吃虧就是占便宜」的性格，不但兒孫有成就，房舍也水漲船高。反觀老大的孩子，居然不是吸毒就是殺人，真是應驗了老祖宗的一句話：「積善之家，必有餘慶；積不善之家，必有餘殃。」老大這種得寸進尺的貪婪行徑，不但無法和道相應，也為子孫帶來報應。

一九九八年，我到厄瓜多弘法，認識一位台灣派駐此地的農技團蔡團長，承蒙他的協助，順利完成弘法。行程中，我看到許多小孩在路邊乞討，就問蔡團長是否要給一些零錢？想不到團長婉拒，他說：「師父，您等一下就會明白了。」結果，往前不遠的地方，就看到一群小朋友在聚賭。他們沒有把乞討來的錢，拿去買食物填飽肚子，反而拿去玩樂，此景讓人不勝唏噓！

在車上，蔡團長告訴我一個故事：每個月他會到厄瓜多的農業單位辦事，每次都會給坐在門口乞討的乞丐一千元舊厄幣，乞丐也都會道謝。有一次，他的口袋只剩下五百元，給了乞丐後，想不到對方竟然用一種憤怒的眼神瞪他，且把臉別到另一側，嘴巴也沒有說謝謝，表示對只拿到五百元的抗議。蔡團長慨嘆地說：「這位乞丐已經把每個月可以拿到一千元認為是應該的，不但不感恩，還這麼得寸進尺。」因此，他深深感覺到一味的濫慈悲是無法幫助他們脫離貧困，也更認同星雲大師提倡文化、教育的理念。

◆ 文化和教育是改變社會、改善人心的積極作為。

以上這二則不知感恩，又得寸進尺的小故事，可以看出他們是無法和道相應的。

（五）自私狹隘的人

這也是一則真實的故事：一位從事美容行業的越南籍老闆娘，她的母親在家排行第九。當時只有十五歲的母親，越戰期間認識了一位美國軍官，為了讓其他兄弟姊妹生活更好，就委身給這位軍官當小三，軍官則送給岳母幾十甲土地及一萬美金當作聘禮。

不久，母親生下她，隔年生下雙胞胎弟弟，軍官很高興，因為在美國已有三個女兒，很想要一個男孩。後來越南戰事吃緊，軍官要回美國，重男輕女的他只想帶兒子走，女兒很傷心苦苦哀求帶她一起離開，軍官不為所動，哄騙女兒飛機載不了那麼多人，保證將來會回來帶她。在軍官回美國前一天，雙胞胎其中一位得了痲疹無法一起走，因此只帶了其母親及另一位弟弟離開。這位父親沒有遵守諾言，一去不復返。

越南被占領後，此女和弟弟只得依靠外祖母生活，外祖母很照顧這兩位小外孫，因為家族能過著比較好的日子，都是小外孫母親的犧牲。一日，姊弟倆放學回家，看到大阿姨正在煮芋頭湯，向她要一碗來吃，卻遭到嚴厲拒絕，且言語羞辱：「你們這些沒有人要的孩子！」更過分的是，此女九歲時，外祖母往生，舅舅、阿姨將田產瓜分，大阿姨竟然將這對姊弟趕走；他們茫然無助時，三阿姨收留了他們。

三姨對他們不錯，但總是寄人籬下，因此她在十多歲時，就前往新加坡工作，賺到的錢除了寄給弟弟生活，也投資越南的土地，為自己的將來打算，且在星國嫁給一位台灣人。

一日，她聽到在越南峴港，有一塊二公頃土地，有別墅、有果園，只要美金一萬元，真的很划算。不過，三阿姨好心告訴她，那是鬼屋要小心，很多人買到以後都出事。她毅然買下，拆屋重建竟然平安順利，因為她以誠心和無形眾生溝通，為他們做法會超度。無形眾生好似聽懂她的話，就這樣她連續為眾生做了十年的佛事法會，都相安無事，因而房屋一間一間賣出去，賺了一筆小錢。後來她隨先生回到台灣，且從事美容行業。

過了一些年，她得知曾經苛薄對待他們姊弟的大姨生病，不計前嫌回越南探望。回去之前，她打電話問大姨需要什麼，大姨竟然要求二個二兩黃金手鐲、五兩黃金項鍊。當她前往探望大姨時，送完了禮，大姨還大言不慚地說，以前對她們姊弟不薄，今天要有所回報，因而要求她還要給二位表哥每人二十五萬元補貼，否則就算死了也不會原諒她。

此時她內心生起嫌惡：「人都快死了，還那麼貪心、這麼不講理！」為了避免牽扯不清，她給了二位表哥各五十萬，內心希望大姨不要再糾纏，趕快離開人世吧！沒想到不久就聽到大姨往生的訊息，此女感覺到很慚愧，學佛之人怎麼可以詛咒大姨趕快往生，乃發願誦念五十部《地藏經》功德回向。

後來，很疼他們的三姨也罹癌，知道自己不久於人世，還勸此女趕快回越南，將原先寄放在她名下的土地、房產地契辦理過戶，以免自己兒女心生歹念。

同樣母親生下來的孩子，一個知道感恩、善待妹妹的孩子，一個卻自私貪婪，處處想占便宜，真是「一樣米飼百樣人」！

同樣是愛：大阿姨只愛自己的家人，往生之前還要為他們留下不淨之財；三姨不但愛自己的兒女，也愛妹妹的孩子，因為妹妹的犧牲成就家族，她必須感恩圖報。相信，這位大阿姨是無法和道相應，三姨必能感應道交。

此女人生雖然坎坷，但心地善良、樂於助人，且認真工作，賺取正命的錢財，不會有了錢，就開始享樂。她認為「人只要溫飽就好，有錢應該要去幫助別人」，相信她也能和道相應啊！

此故事，讓我想到春秋時代魯國閔子騫，由於後母大小眼，因而常受到不合理的待遇，但他都隱忍不發。一日父親要閔子騫駕車，看到他的身體僵硬不聽使喚，才發現原來他穿的是蘆花做的冬衣，而兩位弟弟卻穿棉花做的衣服，一怒之下要將繼母休掉。

但仁厚的閔子騫卻對父親說：「母親在的時候，只有我一個人受寒，倘若把母親休了，三個孩子都要孤單受凍。」父親覺得閔子騫說得很有理，訓誡了繼母一頓，不可再犯！繼母也很受感動，悔悟自己的行為，從此對待閔子騫如同親生，疼愛有加。

繼母沒有悔悟之前自私狹隘，相信不會和道相應，但悔悟以後平等善待，相信她和道就相應了。

（六）玩法弄權的人

白居易的好朋友元稹，因得罪權貴，被貶至湖北江陵，曾寫了五首「放言」詩，一吐心中怨氣。過了五年，白居易被貶為江州司馬，感慨之餘也寫了〈放言五首〉與元稹相應和，其中第三首是大家耳熟能詳的七言律詩：

贈君一法決狐疑，不用鑽龜與祝著。
試玉要燒三日滿，辨材須待七年期。

周公恐懼流言後，王莽謙恭未篡時。
向使當初身便死，一生真偽復誰知。

「周公恐懼流言後，王莽謙恭未篡時」，這是什麼含義呢？

周公在輔佐周成王時，許多人懷疑他有篡位的野心，但歷史證明他對成王是一片忠誠，他的披肝瀝膽、周公吐哺是真，說他謀權篡位是假的。

王莽還沒有取代漢朝政權時，偽裝謙恭、孝敬母親、善待寡嫂孤侄（指漢平帝）、增加官僚俸祿、優待元老故臣、招攬天下名士；百姓受災，出錢救濟災民，自己和夫人節衣縮食，贏得世人對他的敬重好評。等大權在握，時機成熟，王莽撕下偽裝，正式篡位，打壓異己，這時大家才恍然大悟，原來他善待大眾、謙恭有禮，都是偽裝出來的，但為時已晚。

「向使當初身便死，一生真偽復誰知」，這句就很明白了解了，如果大家太早蓋棺論定，或是他們都提早離開人間，相信我們會以為周公有篡位的野心，王莽是一位盡心輔佐漢室的大功臣。

另一個玩法弄權的人是董卓。有關董卓有兩個著名典故，一個是「董卓進京——來者不善」、一個是董卓「挾天子以令諸侯」。

東漢末年，漢靈帝病逝，漢少帝即位，被宦官挾持，何進召董卓入京誅殺宦官。董卓未到，何進已被宦官先下手為強，董卓見機不可失，仍前往北邙迎接被宦官所劫持的少帝，一同返回洛陽，強收何進、何苗的部隊。又指使呂布殺死執金吾丁原，吞併了他的部隊，至此京都的兵權全部掌握在董卓手中。果然「董卓進京——來者不善」啊！

大權在握的董卓，廢漢少帝，改立陳留王為漢獻帝，群臣不敢與之相爭。董卓還自封太師、尚父，位在諸侯之上，車輛服飾堪比皇帝。並大封宗族內外的許多親戚官爵，廣樹黨羽，且「入朝不趨、贊拜不名、劍履上殿」。也就是沒有遵守古代臣子覲見皇帝的禮節：董卓可以依照平常走路速度前進，不必小快步的走路；董卓覲見皇帝，贊禮官只稱其官職不敢直呼其名；還有一項特權——可以帶著劍及穿著鞋子覲見皇帝且不用跪拜。此時，董卓已是「挾天子以令諸侯」，不可一世、狂妄囂張的態勢了。

董卓掌握了絕對的權勢，立下苛刻的法令，推崇人們相互告發，造成不少冤案；又濫發貨幣，為自己積聚財富，造成通貨膨脹、物價崩潰，激起了不少的民怨。後來，被王允設下連環計、美人計，離間了董卓與呂布的關係，藉助呂布殺掉了董卓，長安居民額手稱慶。

人們常說「身在公門好修行」，就是說有了權力後，要懂得為民謀福利，而非「一朝權在手，便把令來行」，謀取私利，忘了人民的付託。王莽、董卓這種玩法弄權的人，和道相去甚遠，如何能夠「行道天下．福滿人間」？

以上十多則故事，說明忘恩負義、不守信用、利慾薰心、得寸進尺、自私狹隘、玩法弄權的人，是無法和道相應的。其實還有口蜜腹劍、機心巧詐、虛偽造假、狡猾多變、是非顛倒、造謠惑眾等，這許多源自人們劣根性的行為，都無法和道相應，當然也無法福滿人間。

那麼哪一種人能和「道」相應？若將上述不良的心態轉成正向的心態：如忘恩負義變成知恩圖報、不守信用轉成遵守信用、利慾薰心改成無私利人、得寸進尺轉成進退有節、自私狹隘變成寬厚待人、玩法弄權變為秉公執法……。還有許多人性美好一面，無法一一說明，總結一句，就是能「做好事、說好話、存好心」，這樣的人可以和道相應、福滿人間。

所以接下來，跟大家說明行三好，可以福滿人間的道理。

三、做好事、說好話、存好心

（一）「做好事」是身善業

《人間福報》於二〇一八年十月刊登過「半夜百里送披薩，為癌患圓夢」的故事。文章提到一位在披薩店服務的年輕店員謝弗（Dalton Shaffer），晚上下班後，特意開車將披薩從密西根州送到三百六十二公里外的印第安那州，讓摩根可以品嘗到記憶中的味道。

為什麼要這麼大費周章地送披薩呢？原來摩根和妻子茱莉（Julie）二十五年前在密西根州這一間披薩店定情、互許終身。後來，夫妻倆搬到印第安那州的城鎮居住，不過，每到發薪日，摩根必定會買史蒂夫披薩（Steve's Pizza）回去和太太一起享用。

二〇一八年九月，摩根和茱莉打算前往史蒂夫披薩店享用披薩，途中摩根突然身體不適，送醫檢查，發現摩根罹患唾液腺癌，且恐怕只有幾週的時間能活。

摩根的岳父知道後，打電話到史蒂夫披薩店，詢問他們能否寫卡片或外送一份披薩到醫院，為女婿加油打氣。想不到十八歲的謝弗了解摩根夫妻的故事後，答應親自為他們送上披薩。當天深夜工作完畢，關了店門，他帶著兩個十八吋的披薩，行駛了三個半小時，於隔日凌晨抵達摩根家。

茱莉對此深受感動，邀請謝弗留下過夜，謝弗婉拒了，表示還要趕回去，這樣早上可以正常上班。茱莉之後在社交網站上分享這個故事，感激謝弗雪中送炭。謝弗後來受訪時表示，純粹只希望為摩根一家做點事，從沒打算將這件事公開，他說：「比起摩根接受治療的痛苦，這趟外送並不算什麼。」謝弗這種急公好義的精神，不就是做好事的典範嗎？

另外，網路上流傳這麼一則故事——

撒哈拉沙漠，又稱為「死亡之海」，進入沙漠的人都是有去無回。有一支考古隊卻打破了這個死亡魔咒，為什麼呢？

這一支考古隊進入撒哈拉沙漠以後，發現沿路上有不少往生者的骸骨，此時領隊會要求隊員停下來，選擇一處高地，挖一個坑洞，將骸骨掩埋起來，還用樹枝或石塊為他們立個簡易墓碑。

沙漠中骸骨實在太多，影響了前進時間。隊員們紛紛抱怨：「我們是來考古，不是來收屍的。」但隊長仍堅持此善舉，並說：「每一堆白骨，都曾是我們的同行，怎能忍心讓他們曝屍荒野呢？」

一段時間後，考古隊終於到達目的地，他們發現了許多古人遺跡和足以震驚世界的文物，隊員們非常高興，一一將寶物收集起來。當他們要離開時，突然颳起了巨大沙塵暴，幾天幾夜不見天日。更糟糕的是，指南針失靈了，考古隊完全迷失了方向，食物和水也開始短缺，考古隊終於明白，為什麼之前的人都有去無回。

正當大家一籌莫展，隊長突然說：「不要絕望！我們來的時候，在路上留下許多『路標』！」於是，他們順著那些他們豎起的墓碑，走出了死亡之海。

接受媒體採訪時，一位考古隊員感動地說：「善良，是我們為自己留下的路標！」

◆ 善良，是我們的路標、是人生的指南針。

的確，善良是我們的路標、善良是人生的指南針、善良是成佛的路徑，善良的舉止就是身善業。星雲大師在《佛光菜根譚》說：「給人利用也是一種結緣，幫助別人就是幫助自己。」

（二）「說好話」是口善業

美國紐約哈德遜河畔，離美國第十八屆總統格蘭特陵墓不到一百公尺處，有一座小朋友的墳墓，為何他可以和總統比鄰而立呢？為何歷經兩百多年仍受到關注？

一七九七年七月十五日，一個年僅五歲的小孩不幸墜崖身亡，小孩的父母悲痛欲絕，便在落崖處為孩子修建了一座墳墓。

後來，因為家道中落，孩子的父親不得不賣掉這一片土地，他對買主提出一個特殊要求，就是把孩子的墳墓作為土地的一部分永遠保留下來。買主同意了這個條件，並把它寫進了契約。一百年過去，這片土地已經輾轉好幾手，但孩子的墳墓仍然完整存在。

一八九七年，這塊土地成為總統格蘭特將軍的陵園，他是美國南北戰爭的北方聯邦軍總司令，五十美元紙幣上的人物就是他，可知他在美國歷史上的地位。雖然總統很偉大，但孩子的墳墓依然被完整保留下來，且成了總統的鄰居。

又一百年過去了，一九九七年紐約市公園局在孩子的墓旁，特別豎立一個說明牌，記載了這個故事，讓世人了解契約的真正精神。

「承諾了，就一定要做到。」一座小朋友的墓能夠屹立二百多年，且與紐約著名的國家紀念堂——格蘭特墓並存，這種契約精神不就是佛門的不妄語戒嗎？這即是口善業啊！

「朋友的力量」，是日本網民在社群媒體分享的一部感人短片。片中敘述一名小男生，參加幼兒園十段跳箱的挑戰，結果一次、二次、三次都無法通過關卡，此時小男生忍不住以手拭淚，但老師仍鼓勵他繼續嘗試，不要放棄。

第四次他還是失敗了，他更加的傷心，退回原點準備重跳的時候，此時班上同學不論男生女生都圍攏過來，彼此肩併著肩、手牽著手，一起為他加油打氣，然後大家退回場邊。

緊張的時刻到了，小男生奮力往前衝刺，雙腳用力一蹬，他竟然跳過比他還要高的跳箱，全場給他熱烈掌聲，場面令人感動，小男生除了向在場的人深深一鞠躬道謝，還特別跑去向老師感謝。

大師在《佛光菜根譚》說：「在讚美、鼓勵、信任中成長的小孩，比較健康樂觀。傷害孩子自尊的言語舉止，是造成孩子沒有自信、對人懷疑、自暴自棄的因素。因此，尊重孩子，了解其性向，給予正確的觀念，是為父母師長的責任。」這一群小朋友以實際行動、口頭鼓勵小男生，讓他生起無比信心勇氣，方能跨越障礙，他們是實踐了給人信心、給人歡喜、給人希望、給人方便的最佳典範！

（三）「存好心」是意善業

一九九六年，國際佛光會世界會員代表大會在巴黎舉行，當時我在世界總會任職，祕書長慈容法師派我先去協助籌備。到了七月中旬，接到另一個指示，瑞士協會會長何振威的母親往生，要我前往主持告別式。

我們一行人搭乘晚上十點左右的火車從巴黎出發，到了里昂已經半夜三點多，簡單用個宵夜，再由巴黎協會副會長兼里昂分會會長許尊訓開車，送我們到位於瑞士琉森市何會長的家，抵達時已經早上九點。

主持告別式之前，我先了解一下老菩薩的生平事蹟，其中一段令人動容。何母其實一個多月前就已經瀕臨死亡，近一個星期不吃不喝，無論兒孫如何呼喚，何母都沒有動靜，但仍有氣息。

當時，何會長請巴黎佛光山住持依照法師幫忙，不管法師如何說法開導，何母就是沒有反應。正在一籌莫展時，法師突然想到，何母最掛念的一件事，就是想在瑞士建道場，請佛光山法師前來主持正法的心願未了，就對何母說：「老菩薩，您不要掛礙，大師已經指示我們來建道場，您就安心養病吧！」

想不到，這句話產生了無比的力量！何母的眼睛竟然睜開，約莫一個多小時以後嚷著要爬起來，然後環視大家，約莫一個多小時以後又要下床，然後叫家人把織毛線的工具拿過來。

大家勸她身體剛康復，不要這麼勞累，但她仍堅持要織圍巾，大家百思不得其解。她說：「你們不知道嗎？佛光山的法師都是從東南亞來的，受不了瑞士的寒冷天氣啊！今天大師好不容易派徒弟到瑞士弘法，我們要保護他們，不可以讓他們受到風寒。」

◆ 佛光會瑞士協會會長何振威的母親所織的圍巾

約一個多月後，老菩薩身體實在不行，也無法編織了，遺囑就是要媳婦將尚未編好的半條圍巾完成，然後就安然往生了。佛事結束後，家人將老菩薩織好的七條圍巾，送給我一條作紀念，至今我仍然保存，時時拿出來看看，自我提醒：一位在家信徒，對弘法都那麼全心全力奉獻，自己身為出家人，還能懈怠嗎？何母為了佛教，看淡生死，只希望佛法能夠在瑞士弘揚，這種為教為眾的情操，不就是菩薩發心嗎？

《綠松石項鍊》是一部俄羅斯人拍攝的微電影，非常感人。

一位天真可愛的小女孩，貼著櫥窗，睜大眼睛看著精品店的擺設，當她看到綠松石項鍊時，眼睛為之一亮，隨後走入店內，且很大膽地指向置放綠松石項鍊的櫥窗，請老闆拿出來給她看看。

老闆懷疑地看著小女孩，等不及老闆開口，小女孩迫不及待地說：「我要買來送給我姊姊，請您一定要包裝得漂亮一點。」

老闆也一本正經地問：「嗯……你有多少錢？」

小女孩從口袋裡掏出六枚硬幣放在櫃台，老闆不可置信地撥弄著硬幣，不知道如何回答，此時小女孩又問：「這些夠嗎？」老闆只得無奈地看著她。

小女孩接著說：「您知道嗎？我特別想要送一份禮物給我姊姊，自從媽媽去世後，都是姊姊在照顧我們，她忙得笑容都不見了。所以我特別想送一份精美的禮物給她，希望讓她高興，這樣我就可以看到她的笑容。這些錢是我擁有的一切。」

老闆聽了，不假思索地將綠松石項鍊放置在精美禮盒裡，並打了一個漂亮的蝴蝶結。交給小女孩的時候，笑笑的叮嚀：「小心拿好，不要弄丟了！」小女孩接過禮盒，開心地跑回家。

當天，商店快關門時，一位年輕姑娘走了進來，很不高興地將禮盒及解開的絲帶放到櫃檯上，然後嚴肅地問：「這串項鍊是在你這兒買的嗎？多少錢呢？」

老闆爽快地回答：「對！」接著又說：「在我們店裡每一樣東西的價格，都是我和客人之間的祕密。」

姑娘回答：「可是我妹妹只有幾枚硬幣，這串綠松石項鍊是真的，價值一定不菲，我們是無力負擔的！」

「她可是支付了最高的價格，比任何一個成年人支付的都要高，她付出了她所擁有的一切！」老闆回答後，推回禮盒，取出「停止營業」的牌子，往桌上一放，然後說：「她就是想看到妳的微笑。」隨後拿起西裝往肩上一掛，瀟灑離開。

《綠松石項鍊》微電影，劇中小女孩的純真、老闆的捨得、姊姊的無貪，交織出人性美好的篇章，亦與《賢愚經》的貧女難陀故事相媲美。小女孩如同貧女一燈的難陀女傾其所有地買燈油，老闆如同賣油翁加倍給油，姊姊如同難陀女無貪的祈願。姊妹雖然窮，但窮得有骨氣。這三人不就是「三好」的代表嗎？

從以上和「三好」有關的故事，可以了解到故事中的主人翁，充滿著慈悲善良、服務熱忱、講求誠信、言語和悅、善體人意、智慧靈巧的美德，他們是和人間佛教之「道」相應的，當然也和「佛道」相應。

四、結語

何謂「三好」呢？大師在《佛法真義．三好》一文解釋得非常透澈：

「所謂做好事，就是修身，淨化身業。把侵犯、傷害人的惡行，換成利益大眾的佛行，例如：不殺生、不偷盜、不邪淫、不為非作歹，而能做一些利益人的善行、懿行、利行，這就是做好事，也就是身行善事。

所謂說好話，就是修口，淨化口業。把瞋恨、嫉妒人的惡口，換成柔軟讚歎的佛口，不說妄語、不可兩舌、不講綺語、不能惡口。與人往來，要說慈悲的話、智慧的話、真誠的話，多說誠信、正直的話，可以為我們帶來好的人緣。

所謂存好心，就是修心，淨化我們的意念。把愚痴的邪心，換成慈悲智慧的佛心；例如：不要有疑心、嫉心、貪心、瞋心、惡心，而要懷著慈心、悲心、願心、善心、發心等，『照顧念頭』，念念是慈心，自然所遇的都是善緣。」

大師所說的「三好」和佛陀所說的「十善業」有何關係呢？修「三好」和「十善業」為何可以和佛道相應？《十善業道經》云：「當知菩薩有一法，能斷一切諸惡道苦。何等為一？謂於晝夜，常念、思惟、觀察善法，令諸善法，念念增長，不容毫分不善間雜，是即能令諸惡永斷，善法圓滿，常得親近諸佛、菩薩，及餘聖眾。」

又說：「言善法者，謂人、天身、聲聞菩提、獨覺菩提、無上菩提，皆依此法以為

◆ 行道天下，便能福滿人間。

根本而得成就，故名善法。

此法即是十善業道，何等為十？謂能永離殺生、偷盜、邪行、妄語、兩舌、惡口、綺語、貪欲、瞋恚、邪見。」

從經文對「十善業」的闡述以及大師對「三好」的說明，我們可以做個比對：

1.做好事：是不殺生、不偷盜、不邪淫的身善業。

2.說好話：是不妄語、不兩舌、不惡語、不綺語的口善業。

3.存好心：是不貪、不瞋、不邪見的意善業。

綜合上述的看法，我們可以說，如果

我們念念都在修「十善業」、念念都在「做好事、說好話、存好心」，沒有不善之念間雜，則「十善業」、「三好」是人、天、聲聞、緣覺、菩薩果報的修持根本，同時也為成就無上菩提的佛果奠定根基。

行「三好」看似簡單，實是蘊含甚深佛法的真義，更是合乎佛陀的本懷。所以星雲大師提倡「三好」，因為它不但可以和「佛道」相應，也可以福滿人間。因而人人行三好，世界更美好；大家一起「行道天下」，便能「福滿人間」。

國家圖書館出版品預行編目(CIP)資料

奮起飛揚在人間 / 慧傳法師著.--初版.--
高雄市:佛光文化事業有限公司, 2021.10
冊； 公分
ISBN 978-957-457-593-0(上冊:精裝). --
ISBN 978-957-457-594-7(下冊:精裝). --
ISBN 978-957-457-595-4(全套:精裝)

1.佛教修持 2.生活指導

225.87 110015087

奮起飛揚在人間 下冊

作 者｜慧傳法師

總編輯｜滿觀法師
責任編輯｜如道法師
美術設計｜謝耀輝
圖片提供｜慧裴法師、慧人法師、慧延法師
如輝法師、知仁法師、陳碧雲
佛光山寺、佛光山佛陀紀念館
佛光山宗史館、香港佛光道場
佛光緣美術館總部、人間社

出版者｜佛光文化事業有限公司
出版日期｜2021年10月初版一刷
2022年4月六刷
印 刷｜中茂分色製版印刷事業股份有限公司
經 銷｜紅螞蟻圖書有限公司
(02)27953656

流通處｜
佛光山文化發行部
高雄市大樹區興田路153號
(07)656-1921#6664~6666
佛光山文教廣場
(07)656-1921#6102
佛光山香花迎
(07)656-1921#6690
佛陀紀念館四給塔
高雄市大樹區統嶺路1號
(07)656-1921#4140~4141
佛光山海內外別分院

創辦人｜星雲大師
發行人｜心培和尚
社 長｜滿觀法師

法律顧問｜毛英富律師、舒建中律師
登記證｜行政院新聞局版台省業字第862號

定價｜350元
ISBN｜978-957-457-594-7（精裝）
978-957-457-595-4（全套：精裝）
書系｜文選叢書
書號｜5423

劃撥帳號｜18889448
戶 名｜佛光文化事業有限公司
服務專線｜
編輯部 (07)6561921#1163~1168
發行部 (07)6561921#6664~6666

佛光文化悅讀網｜
http://www.fgs.com.tw
佛光文化Facebook｜
http://www.facebook.com/fgsfgce